諦めない経営

峠の釜めし荻野屋の135年

髙見澤志和

ダイヤモンド社

はじめに

諦めない気持ちを持ち続けて

２０２０年（令和2年）の元旦、晴れた空に初日の出を拝み、気分が晴れやかだったのは、ほんの少し前のことだったように思える。夏には56年ぶりに東京でオリンピックが開かれ、日本中が元気になる、と希望にあふれていた。

日本も世界も、いまのような事態に陥ってしまうと誰が予想しただろうか。創業から１３５年を迎えた駅弁屋「荻野屋」を経営している私にとっても、春以降に起きたことは想定外のことばかりだった。どう対応すればよいのかと途方に暮れ、茫然自失になりそうな日々を過ごしてきた。

新型コロナウイルスの感染拡大は、１００年に一度の厄災だという。観光産業と密接に関連する弁当業者である荻野屋も、8、9割の売上げを一気に失った。私が経営の舵取りを始めてから、２００８年（平成20年）のリーマン・ショック、２０１１年（平成23年）の東日本大震災と危機が相次いだ。そのたびに、危機を乗り越えられるだろうかと心配したものだ。今回のコロナ禍の影響はいずれの危機も上回り、長いトンネルを本当に抜け出すことができるのだろうかと不安に襲われている。それが、いまの偽らざる心境である。

昨年来、荻野屋の長い歴史を振り返る作業を続けてきた。荻野屋は東日本大震災以降、過去の過剰投資により生じた負の遺産を処理するために金融機関の助けを借りてきた。ようやくその負の遺産を清算し終えたのは2018年（平成30年）夏だった。

それを契機に再び新生荻野屋を目指し、成長軌道を描こうとしていた。その背骨となるのは、荻野屋の先人たちが歩んできた苦労の歴史だった。

弁当屋を創業する前の荻野屋は、群馬と長野の県境、碓氷峠近くの山深い地で温泉宿を営んでいた。荻野屋の創始、髙見澤政吉・トモ夫妻は温泉宿では満足せず、近くに鉄道が敷設されることを知り、ビジネスを求めて鉄道沿線に移っていく。そこで1885年（明治18年）に駅弁業を始めたのだ。いまにして思えば、ベンチャービジネスのような挑戦的な試みだったろう。

創業からの道のりは、平坦ではなかった。第一次世界大戦後には世界大恐慌があり、第二次世界大戦前後には食材不足に直面した。戦後に三代目社長となった髙見澤一重は、妻のみねじと3人の幼子を残し、若くして急逝し、荻野屋は悲嘆にくれた。

残されたみねじがヒット商品となる「峠の釜めし」をつくりあげるのだが、釜めし誕生までの苦労は語りつくせない。駅弁のヒット商品も、日本が経済成長するにつれて勃興したモータリゼーションの逆風を受ける。観光客を運ぶのは、鉄路から道路へと変わっていった。せっかく荻野屋の起死回生のヒット商品となった釜めしのピンチだった。

だが荻野屋は、駅弁からドライブインでの販売に積極的に乗り出し、見事に新しい販路を開拓していく。ピンチをチャンスに変えたといえる。

その後は、バブル経済や長野オリンピック開催という追い風に乗ったかと思えば、景気の崩壊で大きな痛手を被った。

私が父・忠顕の急逝を受けて、荻野屋を引き継いだのは、まさにバブル崩壊後の負の遺産が蓄積され、水面下で膨らんでいたころだった。その事実に気づかず、拡大路線を続けた私はその処理に長年苦しむことになる。

荻野屋の歴史はピンチの後にチャンスが来て、チャンスの後にピンチが来るという繰り返しだった。それでも2020年、荻野屋は弁当業を始めてから135周年を迎えることができた。諸説あるが、現存する最古の駅弁屋といわれている。

荻野屋の創業時、同じように誕生した同業者も100年余りの間に多くが消えていった。おそらく荻野屋と同じような危機に直面したことだろう。何が、生死を分けたのだろうか。

中興の祖といえる四代目・みねじの事業への情熱は、常に「お客様に喜んでいただきたい」という顧客を最優先することに向けられた。すべての経営資源はお客様のために使われた。そこに、荻野屋が生き残った鍵が隠されていると思う。

そして荻野屋の先達らの行動様式を見ると、苦境を打破するために決して諦めない強い気持ちを持ち続けていたことに気づかされる。3年の間、来る日も来る日も信越本線横川駅のホームに立ち、美味しい駅弁をつくろうと、お客様の声を聞き続けたみねじ。そこから「峠の釜めし」は生まれた。

ピンチの後にチャンスがやってきても、すぐに諦め、撤退してしまえばチャンスはつかめない。諦めずに、チャレンジし続けることが成功への要諦だと思う。

コロナ禍に見舞われているいまは、荻野屋にとっても正念場である。荻野屋の過去の歴史に学び、このピンチを新しい荻野屋として生まれ変わるチャンスにしたいと闘志をみなぎらせているところである。

今回、駅弁屋の１３５年を綴らせていただいた。ちっぽけな田舎会社の奮闘記である。どこまで多くの読者の方々の参考になるかはわからない。しかしコロナ禍のもとで会社の行く末を案じ、なにがしかのヒントや救いを求められている人たちに、荻野屋のささやかな挑戦の歴史が一助となるならば、私にとっては望外の喜びである。

諦めない経営　目次

はじめに

第1章

「峠の釜めし」誕生
――お客様の声を聞く

「道」の変化が荻野屋の進化を促した　3
明治の元勲・桂太郎の助言　5
塩おにぎり二つの弁当がスタート　6
駅弁業界は暗黒の時代へ　9
戦後復興の波に乗れなかった荻野屋　12
三代目・一重の急逝、みねじの苦難　14
みねじとトモミの二人三脚　16
ホームでお客様の声を聞き続けた3年　19
「温かい弁当を食べたい」を実現へ　21

徹底した衛生管理 23
益子焼との出合い 25
幕の内弁当80円の時代に120円の釜めし 28
『文藝春秋』が「峠の釜めし」を紹介、突如ヒット商品に 32
昭和天皇に「峠の釜めし」を献上 34

第2章 押し寄せるモータリゼーション

――鉄道から道路へ

小型自動車の登場、大型バスが観光地へ 39
トイレを増やしたドライブイン 41
鉄道の高速化 43
バトンは恭子と忠顕へ 46
忠顕が実質、荻野屋トップに 50
軽井沢に魅力感じた忠顕 51
ドライブイン事業に邁進 55
「しっかりやりなさい」とみねじ 58
ドライブインに大理石のトイレ 60

『私をスキーに連れてって』が追い風に 64

第3章 バブルと長野オリンピック
――ドライブイン事業の急拡大

国鉄民営化と横川―軽井沢間の廃線 69
「ピンチはチャンス」 71
高級日本料理店の失敗とバブル崩壊 74
「平成不況」の中で拡大路線 77
長野オリンピック開催、営業範囲拡大 79
大型ドライブイン「佐久店」オープン 81
長野オリンピックが変化への触媒 85
最終列車を見送り、横川駅で最後の一礼 89

第4章 孤独な継承者
――「峠の釜めし」の成功体験を見直す

嫌だった「荻野屋の息子」 95

父の死で決心 98
高見澤家の嫡男を「錦の御旗」に 100
財務諸表を見て驚愕、巨額の借入金 102
急拡大の弊害 105
「荻野屋が潰れてしまう」 108
「峠の釜めし」に切り込む 109
停滞は衰退――海外製造への挑戦 113
聖域なき改革――調理方法も見直す 115
取引先との悪弊を断つ 117
安定供給に必要な緊張感 120

第5章 「進化の芽」を育てる
――新生荻野屋へ歩みはじめる

ドライブインをリニューアル 126
ドライブインに鉄道遺構を展示 129
「峠の釜めし」に頼る経営から脱却を 132
海外進出への挑戦 135

失敗に終わった台湾出店　138
東日本大震災の衝撃　140
危機下で「群馬の台所」出店　142
強まる逆風　145
どうする？　重くて捨てられない釜容器　147
WASARAと共同開発した容器がグッドデザイン賞受賞　150

第6章

負の遺産を清算

――持続的成長へのハードル

「財務体質を改善せよ」金融機関が突然、通告　157
改善計画策定を受け入れ　162
売れるものはすべて売り、返済　165
コンサルタント会社が監視　166
社外役員招聘――ガバナンス強化へ　168
現場の経営改善こそ必要　170
負の遺産を処理　174
同族会社の持続性とは？　176

同族会社のガバナンス強化 178

第7章 創業200年への基盤づくり
——東京進出

失敗に学び、自分自身を高める 183
SDM入学——「システム×デザイン思考」を学ぶ 186
東京進出への長い道 188
GINZA SIXへの出店 192
低下する「峠の釜めし」の神通力 195
「破壊と再生」を繰り返した銀座 199
新しい釜めしへのチャレンジが、新しい荻野屋をつくる 202
成功するまで諦めない 206

おわりに

第1章

「峠の釜めし」誕生

――お客様の声を聞く

荻野屋が創業し、私が生まれた群馬県安中市松井田町横川は、古くから交通の結節点であった。横川の西には、日本海側と太平洋側とを結ぶ難所の碓氷峠がある。横川は、その麓に位置する。

江戸時代の1623年（元和9年）、横川に碓氷関所が設置された。江戸幕府は「入鉄砲と出女」を厳しく監視する関所と位置づけた。東海道の箱根、新居（静岡県湖西市）、中山道の福島（長野県木曽郡木曽町）と並ぶ四大関所と呼ばれていた。江戸時代には、五街道の一つ、中山道の宿場町・坂本宿とともに発展したのが横川である。

交通の要所だけに、横川は歴史上の重要事が起きた土地でもある。

戦国時代には豊臣秀吉の小田原征伐の折に、北国勢の前田利家や真田昌幸らが碓氷峠から小田原の北条氏に攻め入った。そのときも横川は重要拠点となった。

江戸時代の末期には、十四代将軍の徳川家茂の正室として和宮親子内親王を迎える「公武合体」が画策された。すでに婚約者がいた和宮は、幕末の動乱を収めるために家茂に嫁がされるという悲劇のヒロインとなった。朝廷があった京都から江戸へ向かった和宮一行の旅路は中山道であった。東海道では、川留めによる日程の遅延や反対派の妨害の恐れがあったためである。その和宮も、横川の茶屋本陣で休息をとったという。

「道」の上で人やモノ、そして情報が行き交う。そこから人も企業も新たな知恵を学び、文化や産業が生まれる。交通の結節点であった横川の地に生まれた荻野屋は、まさに「地の利」を得ていたといえる。

だが、「道」は時代とともに変化する。人やモノが行き交うメインストリートは人馬が歩んだ街道から鉄道へと変わり、さらに自動車道へと進化していった。「道」の変化で文化も産業も翻弄され、歴史がつくられた。文化も産業も変化に対応できなければ廃れ、新しい挑戦に踏み出せば生き残る。それが歴史から学ぶ教訓である。

「道」の変化が荻野屋の進化を促した

荻野屋の歴史を振り返ると、「道」の変化につれて、地の利が弱まり、荻野屋の進化を促したことに改めて私は気づかされる。変化のたびに、荻野屋の先人たちは進化への歩みを怠らなかった。

荻野屋の正確な起源は定かではない。髙見澤家の墓に刻まれた先祖の生没年を見ると、天保年間（１８３１～１８４５年）の生まれとあり、髙見澤家は少なくとも江戸時代末期には存在していたようだ。荻野屋は髙見澤家の屋号で、弁当屋を始める前は碓氷峠の麓、坂本宿の一角にあった霧積温泉の地で温泉旅館を営んでいた。

坂本宿は集落が自然に発展した宿場町ではなく、1625年（寛永2年）に三代将軍家光が安中藩と高崎藩の領民を移住させて計画的につくった宿場町である。

碓氷峠を越えてきた旅人や、厳しい取り調べを受けた碓氷関所を通り抜け、これから碓氷峠を越えようとする旅人たちで賑わっていたという。また江戸時代には、大名や豪商が湯治も兼ねる避暑地として栄えたようだ。その地の賑わいを当時の荻野屋は十二分に享受したに違いない。

しかし江戸幕府が倒れ、明治政府が誕生し、大きく社会が変わりはじめた。江戸への出入りを厳しく取り調べる関所はなくなった。横川にあった碓氷関所を通過する前後で、旅人たちがほっと一息する宿場として栄えた坂本宿は、関所の廃止で単なる通過点に過ぎない存在となった。

1872年（明治5年）に新橋と横浜の間に鉄道が開通すると、さらに時代は大きく変わっていく。鉄道が陸上の大量輸送手段として躍り出たのだ。人とモノの行き来は街道から鉄道へとシフトしようとしていた。

当時、荻野屋が旅館を構えていた霧積は明治時代に入っても、静養地としてよく知られていた。碓氷峠の西側に位置する軽井沢は、まだ避暑地として開発されていない時代である。霧積には、伊藤博文、正岡子規、与謝野晶子などの著名な文化人や政治家が訪れ、旅館や別荘が立ち並ぶ避暑地だった。秋には紅葉の名所として知られ、「秋の夕日に照る山紅葉」で始まる唱歌「紅葉」(作詞:高野辰之/作曲:岡野貞一)の舞台は碓氷峠だった。

明治の元勲・桂太郎の助言

交通手段の鉄道へのシフトは、次第に霧積で旅館業を営んでいた荻野屋にも客足が徐々に減っていくという悪影響を与えていったようである。当時の当主であった政吉と妻のトモは、旅館の経営の先行きを案じていたという。

ちょうどそのころ、後に総理大臣となる明治の元勲・桂太郎が荻野屋に宿泊した。トモは荻野屋の窮状を桂に訴え、何か助言をいただけないかと相談したのである。

すると桂は、信越本線が高崎と横川の間で開通する情報をトモにもらした。常日頃から温泉旅館を繁盛させたいと願っていたトモである。トモは、即座に桂に願い出た。

「横川の駅で弁当を売りたいのですが、何とかご尽力いただけないでしょうか」

桂も支援を約束したので、政吉・トモ夫妻は霧積を出て、横川に移る。夫妻の動きは速かった。横川駅開通へ向けて整備を進めていた政府に横川駅周辺の土地を無償提供するなど、横川駅開業へ向けて積極的に尽力した。そうした貢献が功を奏し、1885年(明治18年)10月15日に横川駅が開業すると同時に、鉄道省から横川駅の構内営業権を取得し、弁当販売を開始した。このとき、駅弁を本業とする現在の荻野屋が創業したのである。

創始・髙見澤政吉と妻のトモ

塩おにぎり二つの弁当がスタート

荻野屋は、政吉からその弟である仙吉に引き継がれ、仙吉が駅弁屋の初代となった。

荻野屋は、諸説あるが近隣では宇都宮の白木屋(現・白木屋ホテル)に続き二番目に誕生し、いまでは現存する最古の駅弁業者といわれている。当時の駅弁は、塩おにぎり二つにたくあん二切れを竹の皮に包んだ素朴な弁当だった。それでも非常によく売れた時代だった。

信越本線は、群馬県高崎市から新潟県直江津市までを山間部を通って結ぶ計画であった。ところが横川と軽井沢の間には急勾配の碓氷峠があり、大幅に工期が遅れていた。直線距離は約8・5キロだが、高低差は553メートル。断崖絶壁ともいえるような場所の工事は難事業だった。

横川―軽井沢間が開通するまでは、籠や幌馬車、鉄道馬車で移動した。いまでもそうだが、当時も横川から軽井沢へ抜けると別世界が待っていた。碓氷峠の頂上から軽井沢を見下ろすと、まるで天空から下界を眺めているような錯覚を覚える。

高崎―横川間開通後、交通事情が改善したことで霧積は避暑地として、しばらくは活況を呈していた。軽井沢を避暑地として紹介したカナダ人宣教師のアレクサン

初代・高見澤仙吉と妻のチト

ダー・クロフト・ショーが軽井沢に別荘を建てたのは1888年（明治21年）だった。スイスの山岳鉄道にも使われているアプト式機関車が横川―軽井沢間を走るようになるのは5年後の1893年（明治26年）で、それまではショーも霧積を訪れ、英文で温泉地・霧積を外国人に紹介していたという。

こうして横川は信越本線の終点となり、多くの旅行客で賑わう交通の要所となっていく。おかげで弁当屋を営む荻野屋は順風満帆なスタートを切ることができた。横川―軽井沢間の難工事には多くの作業員が従事した。開通までの間、荻野屋は彼らへの食料を供給するなど工事への協力を惜しまなかった。

横川―軽井沢間が開通すると日本海側と太平洋側の間がつながり、輸送効率は大幅に改善した。全国的にも汽車旅行のブームが広がり、旅客数が増えていった。桂太郎の荻野屋への来訪の機会を捉え、霧積から横川への進出を機敏に図った政吉・トモ夫妻の英断がな

日本最初のアプト式機関車

ければ、いまの荻野屋はない。横川で弁当屋を始めた仙吉・チト夫妻を荻野屋初代とし、政吉・トモ夫妻を「創始」としているのは、その英断に感謝しているためである。

さて、荻野屋のルーツである霧積の地はその後どうなったのか。軽井沢が発展するまで避暑地として旅行客を迎えた霧積だったが、1910年（明治43年）に悲劇に襲われる。巨大な山津波（土石流）が発生し、温泉街や別荘地は壊滅してしまった。これを機に霧積の避暑地としての歴史は終わり、軽井沢が中心的な避暑地としての地位を確立する。霧積には被災を免れた温泉旅館が2軒残ったが、いまでは伊藤博文が明治憲法を起草したといわれる金湯館（きんとうかん）が残るのみである。

駅弁業界は暗黒の時代へ

大正時代に入ると、横川に大きな混乱を生じさせた厄災が起きた。1923年（大正12年）の関東大震災である。震災時には横川からも、東京方面の夜空が赤々と燃え上がるのが見えたという。横川には、東京から多くの被災者が押し寄せてきた。横川では避難してきた人たちへ炊き出しを提供し、温かく迎え入れたという。駅弁業を営んでいた荻野屋も社会貢献活動として弁当を提供し、彼らの疲れと空腹を癒した。

時代が昭和に入ると、1929年(昭和4年)に世界恐慌が起こり、経済は深く落ち込む。しだいに軍国主義の足音が高まった。駅弁業者にもその影響が及び、「軍隊弁当」「軍弁」などと呼ばれる弁当が売られるようになる。旅行者ではなく、戦地に赴く兵隊への物資供給が優先されたのだ。駅弁業者の得意先は軍隊という状況になった。

それでも駅弁業者は知恵を絞り、弁当以外のものを旅行者に提供しようと日々努力をしたという。荻野屋でもイカの鉱泉焼や、紅茶に砂糖の代わりに塩を入れて一風変わった飲み物を弁当の代わりに販売するなど、知恵を絞った。

戦争の時代に入り、駅弁業界は暗黒の時代に突入する。

1937年(昭和12年)、荻野屋は仙吉から二代目・勝一の代に変わった。同年、日華事変(日中戦争)が勃発し、翌年には国家総動員法が発令された。国を挙げて戦争への協力体制が敷かれたのだった。

食糧統制が実施され、駅弁の食材は思うように手に入らなくなった。特に、コメ不足は深刻だった。駅弁業者は生き残りのために、「代用食弁当」を売り出した。芋や人参などの野菜を主体とした弁当やうどんを細かく切って混ぜ込んだ混麺弁当などを次々に開発していった。

一方で、駅弁業者は戦争に向かう兵隊向けの弁当を受注していたので、最大の得意先は軍隊となった。そのため売上げ自体は一定程度確保されたものの、戦況が悪化すると庶民の旅行は制限され、開店休業を余儀なくされた。荻野屋からも徴兵された人間が何人も戦地へ送られ、帰らぬ人となった。太平洋戦争の時代は、何とか弁当屋の火を灯し続けたいと身を縮め、生き残りを願う日々だったに違いない。

戦後も受難の時代は続く。コメ不足は厳しく、コメの配給制は残っていた。コメが手に入らないから弁当はつくれない、とはいえない。その間も荻野屋「料理弁当」と呼ばれたおかずだけの弁当やコロッケなどを販売し、営業を続けた。

全国の駅弁業者も細々とではあるが、弁当屋の火を灯し続けたことで、1950年（昭和25年）から本格的な戦後復興の波に乗ることができた。

二代・髙見澤勝一と妻のむめ

そのころから、各地の駅弁業者が息を吹き返しはじめたのである。

戦後復興の波に乗れなかった荻野屋

しかし、荻野屋の状況は少し違った。横川の特殊性が災いした。

明らかに鉄道の旅客は増え、昼夜を問わず車両の中はごった返していた。だが、荻野屋の弁当は思うように売れない日々が続いた。

なぜか。

信越本線は高崎—直江津間を結ぶルートであり、横川駅はある意味、通過点に過ぎない。だが横川駅は、碓氷峠を越えるためのアプト式機関車を連結する駅としてユニークな地位を持ち合わせていた。とはいえ、高崎駅と軽井沢駅という二つの大きな駅に挟まれている。高崎駅や軽井沢駅で駅弁を買ってしまえば、横川駅で買う必要はない。アプト式機関車の連結作業で長く列車が停車する横川駅は、本来であれば駅弁を売るには好都合であったのに、二つの駅の人気に押され、弁当販売は苦戦した。

昭和20年代後半になると、駅弁も幕の内弁当などが定番となった。荻野屋も特選米を使用した高品質の幕の内弁当を製造・販売していた。それでも、売れる日でも一日30個程度しか売れず、苦戦を強いられた。

荻野屋が大きな二つの駅に挟まれた横川駅を拠点にしている限り、旅行者を引きつける何かが荻野屋の駅弁には必要だった。その「何か」が見つかるまでには、なお数年の年月を要した。

荻野屋の経営は、終戦直後の1946年（昭和21年）、勝一から三代目・一重へと受け継がれた。

勝一の死去で荻野屋の三代目社長に就任した一重は、前年に結婚していた妻みねじとともに急遽、荻野屋のある横川へと戻らざるを得なかった。

横川に戻った一重・みねじ夫妻は三人の娘に恵まれ、幸せな生活を送っていたが、結婚6年目の1951年（昭和26年）に悲劇に襲われる。一重が脳出血で急逝したのだ。34歳の働き盛りだった。

一重が亡くなった朝も普段どおり早起きし、駅売りのそ

三代・高見澤一重と四代・高見澤みねじ

ばを茹で、後片づけをしていた。その場所で倒れ、帰らぬ人となった。

若くして遺されたみねじは、荻野屋の四代目に就任する。幼い三人の娘を抱え、荻野屋という看板を背負うみねじには苦難の道が待っていた。

三代目・一重の急逝、みねじの苦難

みねじは1916年（大正5年）、大菩薩峠など険しい山々に囲まれた山梨県・丹波山村に田中実ときねの8人兄弟の三女として生まれた。幼少のころから妹や弟の面倒見がよく、家事の手伝いも率先してこなした。食事の時間になっても、与えられた仕事を終えない限り、食卓に来なかったというエピソードがある。だが小さいころから病弱でリウマチと診断され、心臓弁膜症に生涯悩まされた。みねじは熱心な仏教徒で、日々、仏壇に手を合わせ家族の幸せを祈っていたという。

山梨の山村で生まれたが、開明的な家庭環境で育てられ、東京の女学校で学んだ後、大妻高等女学校（現・大妻女子大学）に進学し、管理栄養士の資格を取得した。

大妻時代は、自ら望んで学長の大妻コタカの身近に仕え、徹底して礼儀作法や掃除の仕方、衛生についての教えを受けた。このときの体験が、後の荻野屋のお客様を最優先するという考え方や厨房の衛生環境を徹底して改善するという荻野屋の経営の礎になった。

大妻高等女学校卒業後は一時期、山梨県内で教職に就いたが、終戦後生家へ戻り、縁あって髙見澤家へ嫁ぐことになった。

一重の急逝の際、荻野屋の近所の人たちは、三女が生まれ産後の肥立ちが悪かったみねじが亡くなったと勘違いし、騒ぎ立てたという。そんなさなかでの一重の死だった。みねじは精神的にも肉体的にも悲痛な状況に陥り、しばらく寝たきりで起き上がれない状況だった。

ましてや遠く山梨から嫁いできた身である。周囲は、髙見澤家に近い人ばかり。病弱なうえに、周りに自分の味方となってくれるような人はいない。さぞかし孤独感にさいなまれたことだろう。

みねじは病弱だったが、高等女学校を卒業し、気立てのよい女性であったため、髙見澤家の中には、みねじを他へ嫁がせようという計画さえあったという。

しかし、みねじは再婚話を一切断った。

訃報を聞きつけたみねじの妹・トモミが東京から駆けつけ、みねじを支えた。肉体的にも精神的にも厳しい状況が続いている中で、仲のよい妹が横川へ訪ねてきてくれたことは、絶望の中にあるみねじにとって希望の光であったろう。

トモミは、姉のみねじとは正反対の女性で、身体は丈夫で、男勝りの性格だった。義兄の訃報を聞きつけて、とるものもとりあえず横川へ駆けつけたのだった。

みねじとトモミの二人三脚

みねじにとって、気心が知れ、頼りになる妹の存在は非常に心強いものだった。トモミにとっても姉の窮状を目の当たりにして、姉をひとり荻野屋に残して帰るわけにはいかない。そのまま、みねじの補佐役として荻野屋にとどまることになる。

当時の荻野屋は、経営的に苦しい時期である。横川駅でぜひ買いたい、とお客様が思うような駅弁を売っていたわけではない。日々の資金繰りに苦しみ、みねじは実家の田中商店からお金を借り入れて、何とか急場をしのいでいた。みねじは、一重が遺してくれた荻野屋を潰すわけにはいかないと心に決めていた。

弁当づくりにはこだわり、一切手抜きはなかった。厳選した食材を使用し、真心を込め

車内のお客様に“目送”する髙見澤みねじ（手前）と田中トモミ姉妹

てつくっていた。それなのにお客様の反応は芳しくない。

「ほかのお店には決して負けていないのに、なんでうちの弁当は売れないのだろうか」

みねじは日々、自問自答しながら駅のホームに立ち、駅弁を売り続けた。

みねじが四代目となった1951年（昭和26年）ごろは、朝鮮戦争の特需で日本経済は急激に成長路線へと舵を切った時期である。コメの配給統制は残っていたが、外食が楽しめる時代になりつつあった。昭和20年代後半といえば新たに開業した駅弁業者は50社を超え、新しい駅弁や食べ物が考案された時期でもあった。

横浜駅では崎陽軒（きようけん）の「シウマイ弁当」が登

場した。荻野屋のある横川駅の近くでも、高崎駅では「鳥めし弁当」、軽井沢駅では「信州そば」が人気を博していた。荻野屋の駅弁は真心を込めてつくった「幕の内弁当」ではあったが、高崎駅や軽井沢駅で駅弁を買ったり、食事を済ませたりした旅行客を強く引きつけるほどの魅力を持ち合わせていなかった。

荻野屋を存続させるには、他の駅にはない魅力ある新しい駅弁を考え出すことが何より重要だった。みねじが1951年に四代目に就任した後、荻野屋は個人経営から法人組織へと改組した。みねじが社長、トモミが副社長を務め経営体制を整えた。会社に命を吹き込むにはヒット商品が必要で、試行錯誤を続けていたが、その糸口が見えない日々が続いた。

社長就任からすでに3年が過ぎていた1954年（昭和29年）、みねじは東京に出張した。駅構内で駅弁販売や雑貨販売などを手がけている業者の団体である、日本鉄道構内営業中央会の会合に参加するためだった。その際、横浜まで足を延ばし、話題になっていた「シウマイ弁当」の売り場を見に行った。みねじが目にしたのは、「シウマイ弁当」を求めて殺到する人々の姿だった。荻野屋の幕の内弁当が売られている横川駅では見られない光景だった。

「何か特徴のあるモノでなければ……」。みねじは、新商品の必要性を改めて強く思った。
みねじは東京から戻ると、さっそく新商品の開発にこれまで以上に精を出しはじめた。

ホームでお客様の声を聞き続けた3年

新商品を開発するには、まずはお客様のニーズを知らなければならない。いまなら当たり前のことだが、マーケティング調査というような言葉も当時のみねじは知らなかった。だが毎日、駅のホームに立ち、駅弁を売っていたみねじは3年の間、ずっとお客様の声を聞き続けていた。

「どんなお弁当が食べたいですか」「お好きな食べ物は何ですか」。みねじは駅弁を売りながら、さりげなく聞き続けた。納得できることならば、その都度、取り入れ、幕の内弁当を見直していった。

お客様の声を聞くのに、横川駅は実に好都合だった。横川駅では急勾配の碓氷峠を越えるためにアプト式機関車を連結する。その作業のために列車は長時間停車する。みねじはその時間を利用し、3年間ホームに立ち、お客様の好みを聞き、日々「市場」を学んでいた。

多くのお客様の声の中で、長旅で疲れたお客様の一言が心に残った。

「もう、冷めたご飯には飽きた。温かいご飯とおかずが食べたい」

「温かいご飯」という一言が、みねじの心に刺さったのである。

「昨日、幕の内弁当は食べたから、もういらない。違う弁当なら買ったのに」「家庭的な弁当が食べたい」。いろんな意見があった。毎日のようにお客様の声を聞くうちに、さまざまな弁当開発のヒントは得られていた。また、自分ならどんな弁当が食べたいか、現状の弁当は何が問題なのかと、あれこれ真剣に考察した。そんな中、「温かい弁当」というキーワードがズシリとみねじに響いた。


当時の弁当は、つくられてから時間が経過し、売るときには冷めていた。いまのように電子レンジで温めることもできない。弁当といえば冷めていることが当たり前で、誰もそれを疑うことはなかった。

ところが、毎日のようにお客様の声を聞いていたみねじは違った。「温かい弁当を食べたい」という少ないながらも現実に存在する声を聞いていたからだ。いまの世の中には存在しないが、確かにお客様が欲しがっている何かがそこにありそうな気がした。当時、当たり前の「冷めた弁当」を何とか変えられないか、とみねじは考えはじめた。そのとき、みねじは「お客様が温かくて美味しいと喜んで食べている光景が目に浮かんだ」という。

市場調査は多くのデータを集め、統計的に分析し、市場の動向を推測する。だがヒット商品を生み出すのは、集まったデータの中からキラリと光るデータを見つける感性ではなかろうか。市場調査は市場の平均値を知ることはできるが、人の心を引きつける何かを見つけられるかどうかはわからない。みねじの感性は、多くのお客様の声の中から、キラリと光る鉱脈を見つけ出したといえる。

「温かい弁当を食べたい」を実現へ

「温かい弁当を食べたい」という、お客様の気持ちに応えたいという思いが、みねじの行動を突き動かす。元来、身体が動く前に、気持ちが前に行く性格だった。思い立ったら行動せずにいられなかった。さっそく、行動を開始する。温めるといえば、当時は蒸気である。蒸気で弁当を温めることを試みた。簡易的な箱型の蒸し器のような装置をつくり、蒸気で弁当箱ごと温めたのである。

弁当箱を二段式にして生石灰と水を反応させて温めるという、いまでは駅弁でよく見られるアイデアは、当時はまだなかった。

蒸気で温めた弁当を試験的に販売してみた。温かい弁当を受け取ったお客様からは「あったかーい」という喜びの声が聞こえた。お客様が喜ぶ様子を見たみねじは、思わず目頭が熱くなったという。

「温かいお弁当」をつくりたいという、みねじの思いはそこで止まらなかった。お客様の反応を見れば、「温かいお弁当をつくる」という方向性は間違っていないことは確かだ。しかし、お客様が求めているのは、「温かいだけの弁当ではない」という確信もみねじにはあった。多くのお客様の声を聞いてきたみねじにとって、お客様を満足させるにはまだ何かが足りなかった。

もっとすばらしい駅弁の開発に向けて、みねじはさらに試行錯誤を繰り返した。

「もはや戦後ではない」。1956年（昭和31年）の経済白書は高らかに宣言した。日本国内に朝鮮特需を生み出した。1950年（昭和25年）から1953年（昭和28年）まで約3年間続いた朝鮮戦争は、日本国内に朝鮮特需を生み出した。それがきっかけとなり、1954年（昭和29年）末からは神武景気と名づけられた好景気が始まり、日本は戦後復興期から高度経済成長期へ入っていった。国民所得も前年比2割増となり、豊かになった人たちは海に山へと向かい、旅行が本格化した。

横川駅にも、団体客や個人客を乗せた列車が来るようになった。横川駅は小さな駅だったが、特急列車も含めて必ず停車する駅としてお客様にも親しまれていた。アプト式機関車の連結作業のおかげだった。しかし、それでも荻野屋が真心を込めてつくった弁当の売れ行きは相変わらず芳しくなかった。

「温かいお弁当」という新商品開発に向けての試行錯誤を続けながら、みねじがこの時期に心がけていたのは経営の基本を固めることだった。中でも職場の衛生環境を整える取り組みには力を入れた。学生時代に培った知識と教えが役立った。

徹底した衛生管理

みねじの経営姿勢の特徴は、常にお客様を中心に考えたことである。いまでこそ当たり前になった、顧客満足を高めるという行動原理を実践した。いまの荻野屋の基盤となっている徹底した衛生管理体制は、みねじの時代にその基礎がつくられた。それは、お客様に喜んでいただきたい、迷惑をかけたくないという気持ちの表れであった。

万が一、荻野屋で購入したものを召し上がって体調を崩されては、お客様にご迷惑をかけるばかりである。食中毒をはじめ食品事故でも起こせば、最悪の場合お客様の生死に関わる事態になる。お客様を中心に経営を考えるということは、製造現場、調理現場の衛生体制を整えるだけではなく、全従業員に衛生管理の重要さを認識させ、お客様へのサービスをよりよいものにするよう教育することである。いまでは、飲食提供者が食品衛生を最優先に考えることは当たり前になっているが、食品の衛生管理手法であるＨＡＣＣＰ(Hazard Analysis and Critical Control Point) というような言葉がない時代から、荻野屋では衛生環境の整備が最重要だと認識されていた。

また、みねじは自分の会社の従業員にも家族と同様の姿勢で接するよう心がけた。みねじは元来、面倒見がよい性格で、幼少のころから弟妹の世話をよくしていたという。そのような性格のため、自然とみねじを慕って人が集まってきた。自分の実家の山梨からも多くの人が横川周辺に移り住んだり、荻野屋に住み込みで働いたりする人が増えていった。

このような家族のようなふれあいのおかげで、周囲の人たちは自然とみねじの味方、荻野屋の味方になってくれた。従業員も、みねじが家族同様に接してくれることに感謝していた。みねじが醸し出した楽しく満足して働ける雰囲気は、従業員満足度（ＥＳ）を図らずも向上させたに違いない。従業員が働き甲斐を感じ、満足感を持てたならば、お客様にも親切に接することができるようになる。つまり、みねじの人間性がESを高め、結果的に顧客満足度（CS）の向上にも結びついたのである。

益子焼との出合い

1957年（昭和32年）の夏の夕刻、荻野屋の歴史を動かす「容器」が持ち込まれた。荻野屋の代名詞である「峠の釜めし」の容器になる釜である。釜の容器は、現在の製造元である栃木県の益子焼の製造会社「つかもと」が開発・製造したものだった。

つかもとは当時、弁当と一緒に販売していたお茶やそばつゆを入れる陶器の容器などを製造・販売している会社だった。その会社が小さな釜の容器を開発して、荻野屋へ持ち込んできたのである。

だが、真っ先に荻野屋にやってきたわけではない。別の弁当業者へ持ち込んだが相手にされず、3か所目にやってきたのが荻野屋だった。同業の弁当業者は「小さな釜」を何に使えばよいやら想像もつかなかったのだろうが、価格的にも高価であったため購入を躊躇したのである。

荻野屋は、つかもとから見れば得意先の一つでしかない。また、同業他社と比べて経営が安定しているわけでもなかった。二社に断られ、おそらくダメもとで荻野屋に売り込みに来たに違いない。

ところがみねじは、その小さな容器を見るなり「私が探していたのは、これっ！」と胸に抱きしめた。つかもとの営業担当者は驚いた。みねじは、興奮気味にそばにいた従業員に伝えた。

「この釜で何かお弁当をつくったら、楽しいわよね」

少女のようにはしゃいでいると、そこへトモミもかけつけ、一緒になって釜の容器を喜んだという。

みねじにとって「小さな釜」との出合いは、まさに「セレンディピティ」だった。多くの人にはその価値が見えないが、みねじはそこに新たな価値を発見し、さらに予想外の発想ももたらしたのだ。

それまでみねじは、お客様の声をもとに新商品の開発に向けて、あれやこれやと試行錯誤を繰り返していた。大切にしていたことは、真心のこもった手づくりの味であること、温かいこと、ご飯が折箱の蓋につかないこと。その大切な3点はお客様の声を聞き、自分の体験を踏まえて考察したことから導き出されたものだった。みねじはこの3点がいつも頭から離れず、お客様に喜んでもらう弁当のことばかりを考え続けていた。

何年も苦しみながら試行錯誤していた中で、自分が思い描く商品と目の前の容器がピタッとリンクしたのである。「温かい弁当」というキーワードが、陶器の保温性の大切さに気づかせたに違いない。真心のこもったお弁当を提供したいという思いは、陶製の釜が醸し出す温かみに重なり合う。日頃からさまざまなことを試行錯誤、シミュレーションしていたからこそ、「小さな釜」にビビッときたのである。

みねじは即座に、つかもとが益子に在庫として保有していた釜7000個を押さえたのだった。決して経営がよくない状況だったが、「小さな釜」を他社には渡したくないと決断した。

在庫分すべてを抱えることに不安がなかったわけではなかろう。「釜めし」という具体的な弁当のイメージが固まっていたわけでもない。容器の原価の高さを考えれば、弁当として採算が取れるかどうかもわからない段階だった。

しかしみねじには、お客様の心を引きつけるために最初は安くせざるを得なくても、お客様に喜んでもらえるものであればたくさん売れるはず、という確信があった。まずは、お客様に喜んでもらえることが大事である。それが可能ならば、結果はついてくるはず――。細かいところにこだわりすぎず、本質を信じ、自分の意志を強く押し通す、みねじのこの行動原理が英断をもたらした。

「温かい弁当」の器は見つかったが、釜めしが完成し正式に販売、ヒットにつながるまでには、なお厳しい道のりがあった。

荻野屋が食品衛生の改善活動で厚生大臣賞(当時)を受賞した1957年11月には、釜めしの試作品は完成していた。あとは、駅構内での販売許可を取るばかりだったが、一向に鉄道管理局より販売許可が下りなかった。その大きな問題の一つに、販売価格があった。

当時の日本国有鉄道(現JR)に関する法律で、国鉄自体は飲食が提供できないことと定められていた。そのため、地域の有力な事業者や功労者に構内営業権を与え、国鉄の代わりに飲食を提供させていた。販売商品はすべて許可制で、販売価格も管理されていた。

幕の内弁当80円の時代に120円の釜めし

釜めしの販売許可を申請すると、即座に却下された。理由は価格設定だった。

そもそも高コストの釜容器を使っているから、一般の弁当よりも高くなる。当時、幕の内弁当が80円、サンドイッチやシウマイ弁当など特殊弁当と呼ばれるものが１００円程度だった。それなのに、釜めしの販売価格は１２０円。それ以下の価格では到底採算は取れない。横川駅を管轄していた高崎鉄道管理局の見解は、そんな高い弁当は売れるはずもなく、旅行者の便宜も図れない、というものだった。鉄道管理局の見解を覆すのは容易ではない。

それでも諦めきれないみねじは、何度も何度も鉄道管理局へ許可を求めて足を運んだ。なかなか販売許可が下りないので、横川駅長が一所懸命やっているみねじの姿を見かねて、実績さえつくってしまえばと、駅長の一存で販売許可無しに試験販売を行い、大目玉

1958年（昭和33年）に誕生した当時の「峠の釜めし」は120円

を食らったこともあった。

何度も許可が下りなかったのに諦めなかったのは、みねじには強い思いがあったからである。数が売れれば最初は利益が薄くても、しだいに採算が取れてくるはずという思いがあった。それに、高崎や軽井沢では日に1000〜2000個の弁当が売れており、必ずそれくらいは売れるはずと確信していた。そもそもみねじは、お客様に喜んでいただける弁当ならば、必ず売れると信じていた。

みねじのこうした思いが、「峠の釜めし」を生み出した。通常であれば原価計算を優先し利益をはじき出すが、それでは利益が出ないからそもそも売り出しはしない。ところが、みねじのお客様の喜んでいる顔が見たいという思いが商売よりも優先され、利益計算が後回しになったからこそ、「峠の釜めし」が誕生したといえるのだ。

何度も何度も足を運んでいるうちに鉄道管理局の局長の態度も軟化していく。徐々に局長もあれこれアドバイスするようになり、ようやく販売許可が下りた。みねじの諦めない気持ちの粘り勝ちであった。

釜めしの中身には、みねじのこだわりが詰まっていた。地元の山々で採れる四季折々の食材を入れて、ご飯や具材、栄養バランスに心を配った。特にコメに関しては、新潟から玄米を仕入れ、自社で精米したものを使った。精米後は、時間とともにコメの風味が落ちるからである。

お客様の声を聞きながら、中身にこだわった釜めしが「峠の釜めし」と命名されて、正式に販売されたのは1958年（昭和33年）2月1日のことだった。

ところが販売開始したものの思ったほど「峠の釜めし」は売れない日々が続いた。一日売れても30個程度。これまでの幕の内弁当に比べれば倍ほどの売れ行きではあったが、7000個も在庫として抱えた釜がなくなるまでには、1年はかかる勘定である。

販売価格が120円と高かったこともあるが、最大の問題は釜めしが重かったこと。売り子たちが、あまりの重さに「峠の釜めし」を担いで売ろうとしなかったのだ。当時は列車が停車中に、乗客が窓を開けて売り子から弁当を買うというのが一般的だった。手押し車もなく、弁当の売り子たちは首から弁当の入った箱を下げて売っていた。釜めしの重量は、釜の重さがプラスされ約1キログラム。普通の幕の内弁当の2倍近くの重さである。一人で30個を売り歩いたから、売り箱の重さを含めると33キロにもなる。それを首から下げて販売するというのは、かなりの重労働だったはずである。

みねじは、従業員のモチベーションを上げるために、釜めしを売る数に応じて売り子の賃金を上げる出来高制を導入した。釜めしの利益は薄い。それでも数が売れれば採算が合う。みねじは、まずは数をさばくことに努めた。売り子たちの重労働は、売り箱が販売車に変わる1965年（昭和40年）ごろまで続いた。

『文藝春秋』が「峠の釜めし」を紹介、突如ヒット商品に

正式な発売から半年ほど経った1958年（昭和33年）8月の暑い日の昼過ぎ、「峠の釜めし」は突然、爆発的に売れ出した。

みねじは、いつものように駅のホームへ出ようと身支度をしていたら、「釜めしに人だかりができている」と報告を受けた。みねじは、慌ててトモミとともに横川駅へ行ってみた。すると、売り子の姿が集まった大勢の人で見えない。いったい何の騒ぎなのか。売り子たちが売り箱を抱えて、逃げ惑うようにお客様に追われている光景もある。

列車の発車ベルが鳴るとお客様は列車に戻り、横川駅はまた静かな駅に戻った。みねじもトモミも、さっぱり事情がのみこめない。売り子の一人の証言によると、お客様が列車から降りてきたら、あっという間に人だかりができ、釜めしが売り切れてしまったのだと

いう。最後の一つになると、奪い合いとなり、売り子はお客様から逃げてきたらしい。

その兆候は、一本前の列車から起きていたという。用意した釜めしは売り切れてしまっていた。それまでは、売れ残りは当たり前で、売れても一日30個。週末でも一日50個がやっとだった。その日は、列車が発車する前にすべてが売り切れてしまっていた。慌てて補充したが、間に合わない。

次の列車が入ってくると、「おーい、釜めし弁当はどこだ!」というお客様の言葉が聞こえる。列車から身を乗り出して、釜めしを求めているお客様の姿があった。結局、この日は、通常の20倍以上の600個が売れた。釜めしの食材である山菜を裏山に採りにいったり、別の食材に代えたりして、何とか600個をつくり上げたという。

なぜ、急に爆発的に売れはじめたのか——。お客様に聞いてみると、8月に発売された月刊『文藝春秋』9月号の小さなコラムの中で「峠の釜めし」の美味しさが紹介されていたのであ

○信越線横川駅の釜めし弁当はイケる。椎茸と鳥、筍などの炊合せで食べでがあり、お香々も凝っている。可愛らしいお釜もチャンと一合炊きに使えるからどうぞお持帰り下さいとある。一二〇円。

1958年(昭和33年)の『文藝春秋』9月号「峠の釜めし」紹介記事

る。いまのようにインターネットもなく、テレビもそれほど普及していない時代には、『文藝春秋』の小さなコラムのインパクトは大きかったのだろう。そのコラムが引き金となり、釜めしは爆発的なヒット商品に突如として躍り出た。

この日以来、釜めしの売上げは急増し、あっという間に一日1000個を突破した。抱えていた7000個の釜の在庫はなくなり、追加の釜の確保や食材の仕入れに苦労する状態となった。いわゆるうれしい悲鳴で、生産が販売に追いつかなくなった。

『文藝春秋』のおかげで売れはじめたころの荻野屋は、横川駅でしか営業していない無名の存在。急増した食材の仕入れで全国の食品業者に問い合わせても、大量の注文を伝えても信じてもらえず、相手にもされなかった。本当に死に物狂いで原材料の確保に労力を割き、偶然といってもいいくらいの人々の巡りあわせで助けられたという。仕入れの危機を何とか乗り越えることができたことで、機会損失を少なくし、その後の荻野屋の釜めしの評判を高めたのだ。

昭和天皇に「峠の釜めし」を献上

食材仕入れの危機を何とか脱した荻野屋は、ようやく次の段階に進むことができた。「峠の釜めし」が突如として売れはじめた2か月後の10月18日、荻野屋にとって非常に名誉な出来事が起こる。昭和天皇が富山で開催される国体にお越しになる際、横川駅で「峠の釜めし」をお召し上がりいただくことになったのである。宮内庁からご要望を賜り、天皇陛下に献上する機会をいただいた。

「峠の釜めし」が最上級のお墨付きをいただけたというだけでなく、荻野屋のそれまでの経営姿勢が評価されたことに、みねじはとても喜んだ。釜めし開発以前から、みねじが取り組んできた衛生管理体制の徹底や従業員教育などが一つひとつ実を結んでいた。

みねじにとって、荻野屋と3人の娘は亡き夫が自分に遺してくれた大切な存在だった。それだけに荻野屋の暖簾を何としても守らなければならないと覚悟していたので、まずはお客様に喜んでもらい、荻野屋への信頼を高めることができれば、自ずと荻野屋の商売はよくなるはずだと信じていた。それが、みねじのいわば経営哲学の神髄だった。

生来、みねじは人の喜ぶ顔を見るのが好きだった。みねじがつくった社是は「感謝・和顔・誠実」であり、荻野屋の使命は、次のように定められた。

- お客様に喜んでいただける憩いの場（オアシス）を提供する会社でありたい
- お客様にまごころを買っていただくこと

これらは、みねじの性格を体現していた。

いまでは見ることができなくなったが、かつて横川駅で列車が往来するときに荻野屋の従業員一同、並んで目迎目送するシーンは荻野屋の心を表したものである。それは、横川駅の一風景として多くのお客様の記憶に残っている。

「峠の釜めし」の評判が高まるのと前後して、高度経済成長が1955年（昭和30年）から始まり、旅行ブームが到来した。荻野屋にもようやく順風が吹きはじめ、販売数を急激に伸ばして、倒産目前の絶不調の状況から抜け出した。幸運にも神武景気、岩戸景気と呼ばれた大きな流れに乗ることができたともいえるが、荻野屋を救ったのは、みねじが地道に進めたお客様中心の経営哲学が社内に浸透していたからである。

第2章

押し寄せるモータリゼーション

——鉄道から道路へ

１９５５年（昭和30年）以降の高度経済成長は、日本の姿を大きく変えていく。１９５９年（昭和34年）5月、西ドイツ（当時）のミュンヘンで開かれた国際オリンピック委員会（ＩＯＣ）総会で、東京は１９６４年（昭和39年）に開催予定の夏季オリンピックの開催国に決まった。米国のデトロイト、オーストリアのウィーン、ベルギーのブリュッセルという欧米3都市を抑えて選ばれた。

その夏、横川駅も新たな時代を迎えようとしていた。横川―軽井沢間を走るアプト式鉄道の廃止が8月、国鉄本社理事会で正式決定したのだ。日本が変わっていくためには、人、モノが移動する「道」の整備は必須だった。大量輸送手段の担い手である鉄道の輸送力増強がまず図られた。

アプト式鉄道は１８９３年（明治26年）から約70年にわたり、横川と軽井沢の間を行き交う多くの旅客の足を支えた。しかし、年月の経過とともに機関車や設備の老朽化は進んだ。修繕・維持費もかさむようになっていた。時代の転換とともにアプト式鉄道もその役割を終えようとしていた。

アプト式鉄道に並行して走る新型の直流電気機関車の線路工事が１９６１年（昭和36年）に着工し、63年に竣工した。新しい経路を使うことで輸送能力は従来の30％増強され、横川—軽井沢間の運行時間も12分短縮されたのである。
鉄道輸送量の増加は、荻野屋にとって大変な追い風となった。横川駅で停車する列車の本数は増加した。多くの旅客が移動できることにより、多くの旅客が横川駅で「峠の釜めし」の存在を知ることになったからである。

小型自動車の登場、大型バスが観光地へ

もう一つの大きな変化の波が到来していた。急速なモータリゼーションの発展である。その波は、荻野屋の経営にも大きな影響を与えるものだった。

東京オリンピックの開催から2年後の1966年（昭和41年）、トヨタ自動車から小型自動車カローラが、日産自動車から同じくサニーが発売された。一般大衆でも手に入る価格帯の自動車が発売されたことが、モータリゼーションに火をつけた。オリンピックを契機にした高速道路や一般道の整備も一気に進んでいった。

だが、横川駅周辺の変化はオリンピック開催前からすでに起きていた。

国民所得の上昇は、働く人たちの余暇の楽しみ方を変え、レジャーブームが到来した。

「峠の釜めしドライブイン」横川店。1962年（昭和37年）オープン

人々は海や山へと繰り出し、軽井沢に隣接する横川も、軽井沢へ訪れる人たちの通過点として賑わった。多くのお客様が、列車に加えて、観光バスで「峠の釜めし」を買い求めて横川を訪れるようになっていた。

横川駅は、旧中山道に位置する小さな駅である。いまでは、国道18号が並行する形で信州方面へとつながっている。横川駅に釜めしを求めて押し寄せた自動車は、駅周辺の狭い道を入ってくる。大きな観光バスもお構いなしだった。荻野屋としては大変ありがたかったが、周辺住民のことを考えると騒音などで迷惑をかけるわけにはいかない。

そのため、国道18号線沿いまで従業員が出ていって、釜めしを積み込んで観光バスを待った。

しかし、冬場はつらい。いまのように携帯電話は普及していない。バスの到着時間を予想して、道路わきでひたすら待った。バスの到着が遅れると寒い中、長時間待たねばならない。せっかくできたての温かい釜めしを持って行っても、バスを待つ間に冷めてしまう。バスの運転手からは「道路わきに小屋でも建てて、ついでにお茶も出してほしい」という要望も出ていた。

みねじは、国道18号線沿いにバス旅行や自家用車のお客様が休憩できるドライブインを建てることを早々と決断した。「峠の釜めしドライブイン」という名で、１９６２年（昭和37年）に荻野屋の新たな事業としてスタートしたのである。ドライブインはわずか80名を収容できる程度のものではあったが、オープンと同時に連日満席となり、大変な賑わいを見せたという。

トイレを増やしたドライブイン

このころ、日本各地でドライブインの建設が進んでいた。みねじは、ドライブインを建設する際にもお客様の声に応えることをまず優先させた。ドライブインの機能としてお客様にとっては何が重要かを考え、そのうえで自分たちのビジネスの方向性を探った。

ドライブインに立ち寄られる方は、遠方からのお客様がほとんどである。長時間車内で過ごしているため、ドライブインにはトイレは欠かせない。しかも大型バスがドッと入ってくるから、いっぺんにお客様がトイレに殺到する。順番を待つ長蛇の列は、お客様にはつらいことである。まずはトイレの数を増設することにした。

みねじは、常にお客様の立場に立ち、お客様のご利用を第一に考えていたからこそ、荻野屋のつくったドライブインは、お客様が利用しやすいものだった。みねじは、自分がお客様としてドライブインを利用するとしたら、どのようなことが必要になるかを自然と頭の中で描けていたのである。

また、長時間の運転で疲れているバスの運転手にも心を配り、温かい美味しいお茶を出すことを忘れなかった。みねじの幼少期の体験が、そうさせたのである。隣接する奥多摩町から丹波山村の実家まで妹のトモミと歩いて帰る途中、休憩に立ち寄った旅館で出されたお茶が美味しく、長旅の疲れを癒してくれた。その思い出が忘れられず、みねじは、遠路はるばるお越しになるお客様に美味しいお茶を出すことを心がけていた。

当時はバス会社や旅行会社との間で、観光客をドライブインで降ろしてもらうというような協定などない時代である。そんな時代に積極的に荻野屋に立ち寄ってもらえるようにみねじは働きかけ、立ち寄ってくれたバスの運転手にも感謝の気持ちを表した。お茶を出すだけでなく、ささやかなチップを入れたポチ袋を渡していたという。

鉄道の高速化

東京オリンピックの開催後は、一気にモータリゼーションが進むとともに、鉄道の高速化が全国的に進んでいく。オリンピックに合わせて開業した東海道新幹線で、東京—新大阪間が3時間10分に短縮された。このことで目的地に早く到着できるという利便性に注目が集まった。在来線で鉄道の旅をゆっくり楽しむ旅行者をお客様にしていた駅弁業者にも多大なる影響を与えていった。

各地の駅では、急行が停車せず駅売りが減少する駅弁業者が増え、駅弁業者が駅弁以外の事業へと多角化せざるを得ない状況に追い込まれた。長い歴史を持つ弁当業者でも多角化やモータリゼーションの波にうまく乗れず、廃業する例もあった。その変化の波を荻野屋は何とか乗り越えていった。

そうした中、横川駅にも大きな変化が訪れる。

アプト式鉄道の廃止以降も、鉄道の輸送力向上のための作業が続いていた。1966年（昭和41年）に横川―軽井沢間の複線化が完成した。これで上り新線（東京方面）、下り旧線（長野方面）となり、大幅なスピードアップと輸送力が向上した。

その恩恵を荻野屋はまたしても受けることができたのだが、駅弁業者にとっては困る事態が起きた。特急、急行に窓の開かない車両が導入され、窓越しに駅弁を売ることができなくなったのである。

だが、横川駅には変わらず機関車の連結作業のため他の駅よりは長く停車する。そのおかげで、多くのお客様に「峠の釜めし」をお買い求めいただけた。ありがたいことだった。

それでも、みねじには一抹の不安があった。日々変わっていく世の中の流れが、駅弁業者の隆盛と衰退に影響を与えていたからだ。「このままで大丈夫だろうか？　何か変えなくてはならないのではないか」。みねじは、好調な業績の中でも考え続けていた。

みねじが不安を抱える中、荻野屋には幸運なことがまた起きた。

1967年（昭和42年）、池内淳子さんと田村高廣さんが主演した連続ドラマ『釜めし夫婦』が、フジテレビ系列の「土曜劇場」で全7回全国ネットで放映されたのである。みねじ

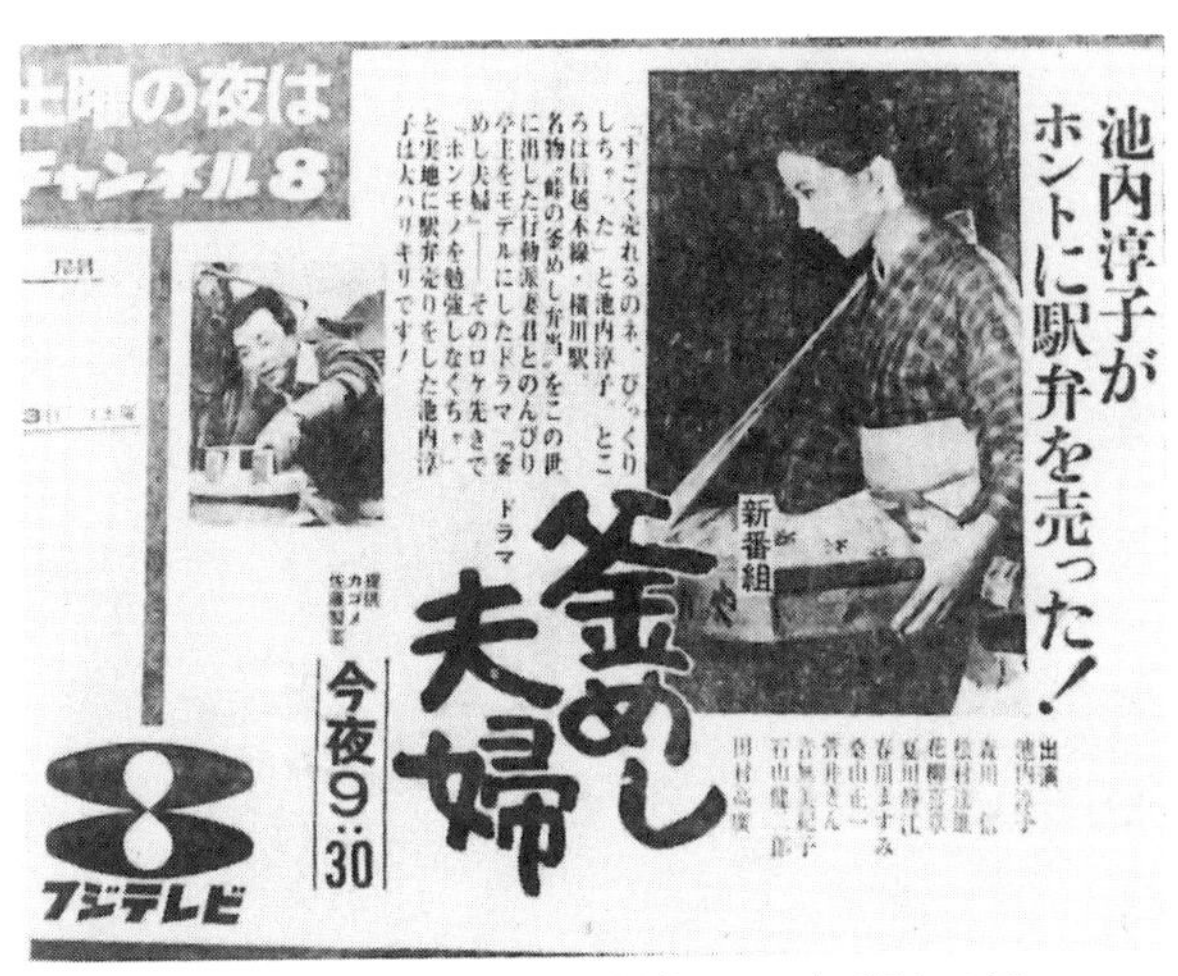

フジテレビ土曜劇場『釜めし夫婦』放送開始。1967年（昭和42年）

とトモミの姉妹を夫婦に見立て、荻野屋と釜めしの苦労を描いた物語だった。ドラマのおかげで、荻野屋と「峠の釜めし」の知名度は一躍全国区となった。荻野屋は多くのメディアの取材も受けるようになり、さらに業績を押し上げた。

地方の小さな業者にとって、メディアの影響は大きい。「峠の釜めし」の発売直後、売れ行きが伸び悩んでいたときに、突然、売れはじめたのは、月刊『文藝春秋』で掲載された小さなコラムがきっかけだった。世の中に会社や商品を知ってもらうことの重要性を十二分にわかっていたみねじだったが、荻野屋は、広告宣伝にお金を使うことには躊躇した。

みねじの考えは、広告に使うお金があるなら、衛生にこそお金を使いなさいというものだった。これは終生変わらず、いまも荻野屋の基本となっている。商売にとっては広告やPRが重要な要素だと受け止めてはいるが、みねじの中の優先順位としては必ずしも高いものではなかった。重要なのは、常にお客様を第一に考えることだった。広告や宣伝をたくさん出してもお客様の喜びには直接的にはつながらないからである。

ただ、みねじは取材に訪れるメディアの方たちもお客様の一人であると考え、大事にした。繁忙期の取材対応は面倒なものだが、決して煙たがらず、一人のお客様として丁寧に対応するよう心がけた。商売がうまくいっていたからといって決して驕(おご)らず、天狗にもならず、「峠の釜めし」がヒットするきっかけになった『文藝春秋』の記者の方への恩を忘れることはなかったという。

バトンは恭子と忠顕へ

1971年(昭和46年)、「峠の釜めしドライブイン」に併設する形で、日本石油(現・エネオス)のガソリンスタンドがつくられた。「峠の釜めしドライブイン」をご利用いただく方の給油と、自動車通勤する荻野屋従業員の利便性を考え、ガソリンスタンドが併設された。そして、「峠の釜めしドライブイン」は1962年（昭和37年）のオープン以来3度の建て直し、増築を経て、1978年（昭和53年）には全面改築し、「おぎのやドライブイン横川店」（以下、横川店）として開店した。

このころから、みねじは持病が悪化しはじめ、床に臥すことが多くなっていた。その少し前の1976年（昭和51年）、長女・恭子が養子縁組をした忠顕と結婚した。みねじの3人の娘のうち長女が婿を取り、高見澤家を引き継いだ。みねじは女手一つで育ててきた三姉妹のうちの長女・恭子が結婚できたことを、非常に喜んだという。また、忠顕が高見澤家に入り、荻野屋を継いでくれることに安堵したのであった。

1979年（昭和54年）に恭子が五代目の社長に就任、忠顕は副社長となった。また忠顕は、

五代・高見澤恭子と夫の忠顕

新しい横川ドライブインを基盤に新たに設立した「株式会社おぎのやドライブイン」の代表取締役に就任した。荻野屋にとっての新規事業であり、人とモノの移動が鉄道から自動車道へとシフトする時代に荻野屋が生き残るための戦略を忠顕は託された。

荻野屋のバトンは娘夫婦である若い次世代へ渡され、みねじは会長に就任することとなる。亡き夫の一重から突然引き継いだ荻野屋の看板を失うことなく、若い世代の二人に託し、自分が夫・一重からつないできたバトンをついに渡すことができたことに、肩の荷を下ろしたに違いない。

妹のトモミは、新たにつくられた東伸株式会社の社長に就任した。1959年（昭和34年）に開館していた温泉旅館愛宕荘を荻野屋から独立させ、温泉旅館とゴルフ場内のレストランの委託事業を行うことになった。このようにして荻野屋は新体制のもと、旧経営陣から新経営陣へバトンタッチされ、新たなスタートを切ったのである。

忠顕は、1941年（昭和16年）8月10日、兵庫県芦屋市に誕生。高校卒業後に辻調理師専門学校を経て、修業先で出会った大庭巌（おおばいわお）氏とともに本場のフランス料理を学ぼうとパリへと旅立った。後に、大庭氏はホテルオークラ東京洋食調理名誉総料理長となり、日本エスコフィエ協会会長にもなった人物である。

お金のなかった二人は、インドのボンベイ（現・ムンバイ）経由の貨物船に甲板掃除をする代わりに乗船させてもらい、マルセイユにたどり着く。そこから二人は、フランス料理の修業のため各地を転々とした。その後、忠顕は一人ヨーロッパに残り、フランス料理の修業を続けた。

そして忠顕がパリで働いていたころ、フランスを訪れていた恭子と知人を介して出会う。その後、二人は愛し合い、結婚することになるのだが、ヨーロッパに10年以上も暮らしていた忠顕は「峠の釜めし」など知る由もない。

「釜めしといえば、スペインのパエリアを思い出した」と語ったという忠顕である。日本に未練はなく、そのままヨーロッパに骨を埋めてもいいと思っていたようだ。

しかし、恭子と出会って彼女の生い立ちや家業について話を聞いているうちに、自分の人生に転機が訪れたと感じ、帰国を決意し荻野屋へ入社した。

人生とは不思議なものである。たった一つの出会いで、180度転換してしまう。忠顕は自分のヨーロッパでの経験が、まだ足を踏み入れたこともない横川の地の駅弁屋でも生きるという確信はなかったはずである。だが、人生は「やれるか、やれないか」ではない。「やる」と決めて、進む以外に道を切り開くことはできないのが人生である。そのときの忠顕もまたそんな心境に至ったのではないかと思う。

忠顕が実質、荻野屋トップに

忠顕が荻野屋に入社したとき、習得していたのはヨーロッパ仕込みの食と料理、サービス提供に関する知識であった。経営についてはまったくの素人である。レストランの現場で修業していた忠顕だったから、当然といえば当然である。

一方で、荻野屋はすでに会社組織として長年運営されており、みねじとトモミの下には髙見澤家の親戚筋の男性が幹部として働いていた。荻野屋は、みねじとトモミの女性二人がみねじの夫・一重の死後、二人体制で経営を推し進めた。二人の経営が順調にいくにつれ、会社の規模も大きくなり、二人の下には故郷の山梨の親戚筋の人たちも集まり、経営の中枢にいた。

古参の経営幹部の中には、恭子の夫になった忠顕を疎ましく思った者もいたという。ヨーロッパで料理修業をしてきたとはいえ、突然、駅弁についても経営についても何も知らない忠顕が荻野屋の舵取りをするようになったのだから、面白いはずはない。

古参の幹部たちは、ある日、忠顕を呼び出し、会社から出て行くよう詰め寄った。ずいぶんと乱暴な行為に出たものである。しかし忠顕は、そんな脅しに負けるような男ではなかった。10年以上も異国で修業をしてきた苦労人のうえ、腹も据わっていた。負けず嫌いで気が強くて短気、幼少のころから喧嘩で負けたことはない。忠顕は、見事に古参社員たちを文字どおり力でねじ伏せた。

それ以後、忠顕は自分の力で地位を確立し、荻野屋のトップとして経営権を握っていった。

忠顕の主な業務は、ドライブイン事業の改革だったが、恭子は荻野屋の経営も専ら忠顕に任せるようになった。実質的には、忠顕が荻野屋全体の経営を担う形になったのである。

軽井沢に魅力感じた忠顕

忠顕は、観光事業に対する思い入れがことさら強かった。長いヨーロッパでの経験の中から観光業で経済が成り立っているヨーロッパの現状に驚きながらも、魅力を感じていた。豊かな自然の中でゆったりと過ごし、地元食材を使った料理を楽しむヨーロッパの人々の姿は、まだそのころの日本には見られなかったライフスタイルである。

だが、横川に来た忠顕がその地の持つ潜在力に気がつくまでにそれほど時間はかからなかった。

碓氷峠を越せば、軽井沢である。カナダ出身のイギリス人宣教師が軽井沢を世に知らしめたので、軽井沢は海外の人にとっても魅力的な土地だった。欧米人が日本の中で、ヨーロッパの風土と似通った感覚を持てる場所として軽井沢を認識していたのと同じように、忠顕もヨーロッパにいるような感覚で軽井沢を見ていた。

恭子とのパリでの出会いから思いがけず、見知らぬ横川に来た忠顕の目に映る光景は不思議なことばかりであった。

忠顕が幼少のころ過ごした三田(さんだ)も、横川と同じように田畑や森林に囲まれた土地である。三田はいまでこそ阪神圏のベッドタウンだが、かつては横川のような田舎町で何の変哲もない場所だと忠顕は感じていた。高校入学後は、宝塚や神戸などの都市部で遊ぶことが多くなった。ヨーロッパへ料理修業に出てからは、日本の田舎とはまったく縁がなくなってしまった。何しろ「花の都」と呼ばれるパリに暮らしていたのだから、横川の地で忠顕が見た光景は驚き以外の何物でもなかった。

都会と田舎とのギャップに驚いただけではない。

横川駅のような小さな駅の釜めしに多くのお客様が殺到する様子は、不思議な光景だった。世界の富裕層が集まるパリのホテルなど、高級ホテルでシェフとして働いていた忠顕にとって、こんな小さな田舎の駅に、天皇皇后両陛下がお越しになり、釜めしを召し上がったことも信じられなかった。

横川に来て以来、見聞きすることにいちいち驚いた忠顕だったが、一方で横川のユニークさに深い興味を持ちはじめたのである。しかも横川の隣には、皇族方や富裕層らで賑わう避暑地・軽井沢がある。当時の「峠の釜めし」は、軽井沢に向かう多くの人たちにとって、なくてはならない存在になっていたといってよい。軽井沢と横川は、観光地として一体ととらえることができるのではないかと忠顕は考えた。忠顕にとって、荻野屋の潜在力はとても大きいものだった。

忠顕が横川にやってきた1970年代後半は、第二次オイルショックが起きるなど、日本経済の動乱期ではあったが、相変わらずレジャーブームは続いていた。観光バスツアーも年々増え、荻野屋が運営する「峠の釜めしドライブイン」も盛況の日々が続いていた。

だが、忠顕は満足していなかった。

忠顕は、さっそく「峠の釜めしドライブイン」の全面改装に向けて動きはじめた。1962年（昭和37年）の開業以来、すでに3度も改装したドライブインをさらに全面改装するという試みだった。

軽井沢をヨーロッパのリゾート地のように見ていた忠顕は、新しいドライブインは、山小屋（ロッジ）風にしようと考えたのである。外壁は周囲の鉄道遺跡群のようにレンガづくりとし、屋根の形は山小屋をイメージした。新しいドライブインは、1978年（昭和53年）3月29日にオープンした。

それまでのドライブインの機能は残しながらも、お客様の収容人数や利便性を向上させた。駐車場は観光バス60台、乗用車だけなら240台が駐車できる大型のドライブインに姿を変えた。

団体旅行客専用の食事スペースを二階に設け、600名以上が収容できるようにし、個人のお客様用に独立したレストランも設けた。一階にはそば、うどんを提供するフードコートをオープン。土産品売り場の拡張、アイスクリーム売り場、できたての天津甘栗の販売など、お子様からお年寄りまで幅広い年齢層のお客様が楽しめる施設とした。また、恭子の妹の美恵子が薬剤師の資格を取得していたので、ドライブイン内に調剤薬局を新設した。旅の途中で具合が悪くなったお客様にお薬を提供するためだ。

ドライブイン事業に邁進

忠顕は、「釜めし」とドライブイン事業という観光とを結びつけることで双方が伸びていくと考えた。そうすれば、いずれ新規事業として観光事業が確立されていく――。そうした忠顕の戦略は、ヨーロッパで観光事業の真髄を見てきた自らの経験が生きると思えた。突如、落下傘のように荻野屋にやってきた忠顕が、長年働いている幹部社員に自分の力を示せる方策はドライブイン事業を積極的に進めることだった。

とはいえ、忠顕がみねじの長女と結婚し、いずれは荻野屋のトップになる人物だとわかっていても、古参社員たちの忠顕を見る目は、相変わらず「外から来た人」のままであった。みねじから全幅の信頼を得ていたにもかかわらず、古参社員たちの態度は面従腹背であることを忠顕もよくわかっていた。

自分の得意分野はフランス料理であり、それには誰にも負けない自信がある。しかし、荻野屋ではフランス料理は通用しない。何とか自分の存在を誇示しなくてはならない。そのためにはドライブイン事業を拡大させ、成功させねばならない――。忠顕は、功を焦っていた。

忠顕は、横川から軽井沢がある長野県への進出を考えた。長野県の土地勘はもちろんなかったが、自分の目であちこち見て回ると、長野にはヨーロッパのリゾート地のような要素が多いことに気づいた。

特に気に入ったのは、白樺湖周辺のエリアであった。すでに白樺湖周辺は池の平グループが筆頭となり、一大リゾートホテルを展開していた。その周辺にも多くのホテルや旅館が立ち並び、余暇を楽しむ人々の姿があった。

白樺湖に向かう山々の風景は、かつて忠顕がスイスやフランスの山間部を旅したときに経験した風景とダブって見えた。ここに新しい拠点をつくれば、観光型のビジネスを自分の功績として示すことができる。そう確信した忠顕は、さっそく場所探しに走り回った。

しかし、白樺湖周辺への進出は一歩遅かった。白樺湖周辺にはすでにホテルが立ち並び、ドライブインに最適な場所が残ってなかったのである。

さて、どうするか。

忠顕は、白樺湖へつながるビーナスラインに目をつけた。白樺湖へ行くには、通常高速道路の中央自動車道を利用する。中央自動車道を降りるインターチェンジ付近が狙いどころだった。横川と同様、目的地へ向かって必ず通過する場所であり、高速道路の長旅で疲れたお客様には、高速を降りて一息つく休憩場所が必要だと感じたのである。

ビーナスラインは、本州のほぼ中央にある八ヶ岳中信高原国定公園の高原地帯を抜ける観光道路。日本でも有数のドライブルートは全長76キロにも及び、7市町村をまたいで長野県茅野市から美ヶ原高原までをつなぐ山岳ドライブルートである。

中央自動車道の諏訪インターチェンジから、ビーナスラインを通れば、白樺湖だけでなく蓼科高原、車山高原、霧ヶ峰高原といった八ヶ岳を望む地域へアクセスできる。その玄関口である諏訪に拠点を設立すれば成功するに違いないと、忠顕は直感的に悟った。諏訪からビーナスラインを抜けて、各地へ到着するまでにはしばらく時間がかかる。トイレ休憩や食事などでゆっくり過ごせるドライブインがあれば、お客様に利用していただけると確信したのである。

いまでこそ、諏訪インターチェンジの周辺は整備が進み、商業施設や飲食店などが出店している賑やかなロードサイドであるが、忠顕が出店を決めたころといえば、まだ田んぼと畑しかないような土地であった。だが、忠顕の頭の中では、功を焦る気持ちと同時に

「ドライブインに多くのお客様が立ち寄り、楽しむ姿」が膨らんでいた。

とはいえ、まったく土地勘のない場所である。土地の適正価格などもわからなかったが、長野県でも荻野屋の知名度は抜群で、諏訪周辺のいくつもの不動産関連業者が協力を申し出てくれた。

「しっかりやりなさい」とみねじ

忠顕が推進しようとした諏訪への出店計画で、荻野屋全体がざわついた。

それは、投資額があまりにも大きかったからだ。当時の荻野屋のビジネスは順調であり、みねじは、無借金経営を方針としていた。だが諏訪の出店に関しては、手持ちの資金では賄えず借金せざるを得ない。借金の額は1億~2億円どころではなく、その10倍にも及ぶ金額だった。

諏訪への出店計画はすぐに社内全体に広がり、「そんな借金したら、会社が潰れる」と心配する声が湧き起こった。これまで全国的にも有名になった「峠の釜めし」を横川周辺で地道に売ってきた荻野屋である。何人かの古参社員が出店計画を聞き、荻野屋の将来を案

おぎのやドライブイン諏訪インター店。1983年（昭和58年）オープン

じて退職した。

出店計画をまとめた忠顕にしても経営に関しては素人同然であった。ヨーロッパのように観光事業を確立し、押し寄せるモータリゼーションの大きな波に乗ろうと夢見ていたが、業績予測を緻密に立てていたわけではない。だが、大きな時代の流れを読みながら、自分のロマンを事業に合わせて実行しようと走り続けた忠顕らしい計画だったともいえる。

忠顕はもともと大胆な性格で、自分が決めたら突っ走るという男だった。だからこそ料理修業を思い立ち、渡欧するという決断もできたのであろう。

それでも、そのときは投資額が大きかっ

ただけに、忠顕はみねじにはしっかり相談した。みねじの返事は、「しっかりやりなさい」の一言だけ。みねじから全幅の信頼を寄せられているのはわかっていたが、その言葉はかえって忠顕を不安にさせた。だが、みねじが忠顕を信頼していることを再確認できたことで、必ず成功させなければならないと、やる気になった忠顕だった。

忠顕は、中央自動車道諏訪インターチェンジ前に土地を購入し、計画どおり1983年（昭和58年）4月21日に「ドライブイン諏訪インター店」（以下、諏訪店）をオープンさせる。

諏訪店は横川店同様に釜めしを主体としたスタイルで、店内に弁当工場を併設した。これまでは弁当は横川の工場でつくっていたが、初めて別の場所で弁当の生産を始めた。外観は、横川店と同様に山小屋をイメージした。

ドライブインに大理石のトイレ

横川店と決定的に違ったのはトイレだった。みねじは、お客様をトイレで待たせないようにとたくさんのトイレを設置するなど大いに気を使った。諏訪店は、数だけでなく質にもこだわった。当時としては破格の投資をし、大理石を使用したトイレにした。ドライブインのような施設で、トイレが内装的にも衛生的にもきれいというのは稀な時代だった。まして大理石のトイレはドライブインにしてはめずらしく、評判を呼んだ。

なぜ、忠顕はトイレにこだわったのか。そこにはヨーロッパでの修業時代に学んだ経験が生かされている。

忠顕は、修業時代にヨーロッパのホテルを転々と回りながら、ホテルのホスピタリティについても学んだ。ホテルはお客様をもてなす場であり、お客様に快適な空間を提供する場所である。その最たるものがトイレであり、ホスピタリティを映す鏡である。サービス業を営むものとして快適な空間を提供することを最優先させなければな

ドライブイン諏訪インター店内の大理石のトイレ

らないことを忠顕は修業時代に学んでいたのである。

ドライブインはホテルではないが、旅のお客様の休憩場所として同じようにもてなす場であると忠顕は考えた。飲食店の衛生レベルは、その店のトイレを見ればわかるというのが忠顕の口癖で、みねじのように衛生環境には気を配っていた。そうした意識が諏訪店の豪華なトイレにつながった。

忠顕がヨーロッパに渡ったのは、１９６４年（昭和39年）。"I Have a Dream"という演説で有名なマーティン・ルーサー・キング牧師が黒人の公民権運動を進めていた時期である。キング牧師が白人青年に暗殺されたのは、１９６８年（昭和43年）。当時は、人種差別の真っただ中であった。１９６３年（昭和38年）11月20日に、国際連合が「あらゆる形態の人種差別の撤廃に関する宣言」を採択した後も、世界における白人中心の世の中はすぐに変わることはなかった。実際には、白人とそれ以外の人種間には差別が存在していた。そのような環境の中で、忠顕はフランス料理を学び、文化を学んできた。

フランス人と同じことをしていても認めてもらえない。それ以上のことをやって初めて料理人として認めてもらえるというのが現実だった。忠顕はもともと負けず嫌いな性格で、誰よりも修業に励み、周囲に認められるように努力した。そのような努力により養われた知識や技術が忠顕の血肉になっていた。

ホスピタリティが重要という考え方も、フランスで身体に染みついていた。何事もお客様の立場に立って考えるという意味では、みねじと共通する部分があった。自分自身が学んだことを、荻野屋で生かすのが自分の使命とさえ思っていた。これまでの自分自身の経験を生かす場所が諏訪店だったのである。

自信を持って開業した諏訪店ではあったが、蓋を開けるまでは何が起きるかわからない。本当にお客様に来ていただけるのだろうか、と開業前は不安でいっぱいだった。

失敗は許されない。広告宣伝にはお金を使わないというのが荻野屋の方針だったが、このときばかりはその掟を破った。開店を盛大に祝い、テレビCMを打ち、オープニングセレモニーにはタレントなどを呼んだ。

開業すると、すべてが杞憂だったことがわかった。忠顕が思い描いていたイメージどおりの展開だった。もともと諏訪店は周辺の観光資源に恵まれていた。しかも諏訪店の場所は交通の要所である諏訪インターチェンジのすぐそばである。お客様の利便性は高く、シーズンになると駐車場は観光バスで埋め尽くされた。

条件を考えれば「当然の結果である」といえたが、諏訪インターチェンジの近くにドライブインを建設するという事業に取り組んだのは荻野屋が初めてである。二番手、三番手で成功したのではない。一番手で成功した経験は、荻野屋にとって大きな財産になった。

諏訪店の開業から半年後の1983年（昭和58年）9月17日、みねじ会長が心不全で逝去した。あたかも忠顕の仕事ぶりを最後に見届けて、荻野屋の将来を安心して深い眠りについたかのようだった。荻野屋の中興の祖として、「峠の釜めし」を生み、大きく育て上げた時代に幕が下りた。

みねじ亡き後も、忠顕は偉大な功績を残したみねじを称え、みねじの精神を踏襲した。本場ヨーロッパでホスピタリティの精神を学んできた忠顕は、小さな田舎町・横川で、知名度もホスピタリティ精神も高い会社に育て、「峠の釜めし」という他の追随を許さない商品をつくり上げたみねじに尊敬の念を抱いていたからである。

『私をスキーに連れてって』が追い風に

1985年（昭和60年）には、横川店の利便性を高めるために、店内の改装・拡張を実施した。フードコートの改修工事のほか、自身の料理人のネットワークを活用して外部から洋食のシェフを招聘し、フルサービスレストランを開業した。それまでのように簡単な軽食だけでなく、お客様が手の込んだ食事をゆっくり楽しめるレストランをドライブインに開業したのである。

その年の秋、荻野屋は創業１００周年を迎えた。日本は、バブル経済へと突入しようとしていた。連日、ドライブイン横川店だけでなく、ドライブイン諏訪店も多くの観光客で賑わった。１９８７年(昭和62年)には当時の人気女優、原田知世の主演映画『私をスキーに連れてって』が大ヒット。一大スキーブームが巻き起こり、多くの若者がスキーを楽しもうと信州方面に向かった。その追い風を荻野屋は目いっぱい受けた。

釜めしはつくれば売り切れるという状況だった。ドライブインは、若いスキー客を乗せた深夜バスの休憩所となり、冬の季節は夜間営業に踏み切った。連日昼夜を問わず大忙しの時代となっていた。

日本経済の好調ぶりが永遠に続くと、みなが錯覚した時代である。荻野屋も例外ではなかった。連日多くのお客様が店舗を訪れ、たくさんお金を使っていただける。日々の現金集計、経理作業が間に合わないほどだった。

そんな喧騒の中で、忠顕はどこか違和感を抱いていた。仕事は順調に伸びてはいたが、それは大部分が外部環境のおかげだった。もともと株や不動産などには知識も興味もなかったので、手を出してはいなかった。周囲の経営者が株や不動産への投資の恩恵にあずかっている姿を見て、自分はそのような経営者とは違う別の方法でお金を稼ぎたい、何かもっと大切なことを手がけなくてはならないと感じはじめていた。だが忠顕には、まだ何かが見えていたわけではなかった。

第3章

バブルと長野オリンピック

――ドライブイン事業の急拡大

1985年（昭和60年）秋、ニューヨークのプラザホテルで開かれた先進五か国蔵相・中央銀行総裁会議で、プラザ合意が発表された。戦後の経済発展で第二の経済大国に躍り出た日本に対し、主要な先進国が円高誘導をすることで日本の成長をけん制することが狙いだった。だが、円高は皮肉にもバブルを生み出し、日本をバブル経済へと導いていった。その一方で、日本がこの時期に取り組んだのは「構造改革」だった。中曽根行革と呼ばれた国鉄、電電公社、専売公社などの民営化を中心とした改革は、日本の姿を大きく変えるものだった。

荻野屋に大きな衝撃を与えたのは、国鉄の民営化だった。

横川は、国鉄職員の官舎も多く、横川駅で構内営業を行っていた荻野屋もいわば「鉄道の町」の一員として国鉄とは協力関係にあった。その国鉄が民営化される――。世の中がバブルの好景気に浮かれている中で、忠顕はこれからどうなるのか不安を抱いていた。

1987年（昭和62年）4月、国鉄分割民営化で国鉄が解体され、横川駅があった信越本線はJR東日本鉄道株式会社が運営することになった。国鉄の分割民営化は、旧国鉄が抱えていた巨額な債務の処理が課題だった。モータリゼーションが発展し、鉄道利用者が激減したことや、国鉄職員の賃金の上昇が収益を圧迫していた。そのため、赤字路線は真っ先にリストラ対象となる。碓氷峠を越える横川—軽井沢間は、年間約10億円の赤字を出していると見積もられており、廃線に追い込まれる可能性があった。もしも廃線されれば、荻野屋は甚大な影響を受ける。忠顕は、気が気ではなかった。

国鉄民営化と横川—軽井沢間の廃線

1987年12月、JR東日本が横川—軽井沢間の廃線を運輸省（当時）に報告、廃線の方針が正式に決まった。横川駅があった松井田町（現・安中市）は町を挙げて廃線反対へ動くが、反対運動もむなしく、1988年（昭和63年）11月、JR東日本は自民党の整備新幹線建設促進検討委員会に「横川—軽井沢間の廃線」を伝えた。

この年の6月には、日本オリンピック委員会（JOC）が、1998年冬季オリンピックの候補地として長野を選定した。長野でのオリンピック開催に向けて短時間の大量輸送を可能にするため、新幹線整備が優先され、赤字路線だった横川—軽井沢間は廃止せざるを得なかったのである。

横川—軽井沢間廃線は、荻野屋の経営に深刻な打撃を与えるのは間違いない。新幹線が整備されると、信越本線高崎―横川間は特急も急行も走らない在来線となり、横川が終着駅となる。横川―軽井沢間の代替交通手段として、バスの運行が提案された。だが、信州方面へ向かう人が新幹線を利用せずに、わざわざ横川駅でバスに乗り換えて軽井沢に向かうとは到底思えない。横川駅で釜めしを買い求める人は激減するに違いない。

正式な横川―軽井沢間の廃線は、1997年（平成9年）を予定していた。廃止まで、まだ約10年ある。このとき、忠顕は10年後にも荻野屋が生き残る道を模索しはじめた。

横川―軽井沢間の廃線が決まった翌年の1月8日、時代は昭和から平成に変わった。激動の昭和を何とか生き抜いた荻野屋だったが、新しい平成の時代でも再び、困難な道が待ち受けていた。だが忠顕は、横川―軽井沢間の廃線を嘆くより、「新しい変革のときが来た」と未来を見ようとした。

長野オリンピックの開催決定で、新幹線の整備とともに高速道路の建設も加速する勢いだった。荻野屋もモータリゼーションの発展に伴って、ドライブイン事業を拡大し、業績を伸ばしてきた。関越自動車道藤岡インターチェンジを起点とする藤岡―長野間の高速道路の建設は長野オリンピックの開催決定で一気に加速した。国は高速道路の開通を長野オリンピックに何とか間に合わせようとした。整備のスピードに一気に拍車がかかった。

忠顕ら荻野屋の幹部たちは「高速道路が整備されると国道18号線の利用は激減するに違いない。ドライブイン横川店の利用は一気に落ち込む」と予測した。

「ピンチはチャンス」

だが、忠顕は「ピンチはチャンスではないか」と考えた。

もともと旧中山道の一部が重なる国道18号は、歴史上も重要な道である。交通の要所であればこそ、碓氷峠の整備や新道として碓氷バイパスの整備が進んだといえる。さらにこのルートに高速道路が整備されれば、人とモノの往来のスピードは加速するに違いない。忠顕は「高速道路ができることは、時代の流れであり、やむを得ない。完成すれば、より多くのお客様の往来が活発になる」と前向きに受け止めたのだ。

早速、忠顕は新しくできる上信越自動車道のサービスエリア（SA）に何とか出店できないかと考え、情報収集のために地元の政治家や経済界の要人への接触を試みた。また1998年の冬季長野オリンピックの開催は、大きなビジネスチャンスにもなると考えた。オリンピックをきっかけに世界各国からの来訪者が増え、観光はさらに活発化すると予測し、新しいドライブインを積極的に建設しようとした。

荻野屋が展開するドライブイン事業は、観光客の休憩所として利用される場所であり、高速道路のＳＡとほぼ同じ機能を持っている。高速道路のＳＡに出店できれば、ドライブイン事業と相乗効果が見込める。荻野屋の経営資源の有効活用につながるはずである。

ただ制度上、一般道沿いで営業していたドライブインと高速道路のＳＡへの出店では、大きな違いもあった。当時、高速道路は国が管轄する特殊法人日本道路公団が運営していた。出店に際して、細々とした制約や条件がつけられていた。現在のようにテナントが独自性を発揮して、他と差別化するような取り組みは許されなかった。ＳＡのお客様へのサービス提供は国の代行業務という位置づけだったので、何をするにも公団の許可が必要で、規則で決められた業務を遂行することが求められた。

ＳＡへの出店には、規程客席数を超えたフルサービスレストランの運営経験が必要だった。荻野屋は、ドライブイン事業や小規模の店舗で飲食を提供していたものの、道路公団から提示された大規模なレストランを運営したことはなかった。出店にはその実績づくりが必要だった。

そのため忠顕は、関越道高崎インターチェンジのそばに大規模な「日本料理おぎのや」

日本料理おぎのや。1989年（平成元年）オープン

を出店することにした。二階建ての大きなレストランで、伝統的な懐石料理を提供するものだった。テーブル席のほかに個室や二階には大広間を用意した。提供する料理も釜めしではなく、高級感のある懐石料理であった。

忠顕は、日本に戻った後も修業時代の友人と親しくしており、彼らが一流ホテルのシェフとして一流のお客様へサービスしている様子を見て、いつかは荻野屋も一流のサービスが提供できる会社にしたいという思いが強くあった。

また、荻野屋で働く従業員が自分たちの仕事や会社に誇りを持ち、他社に気後れすることのない洗練された人間になってほしいという思いが強かった。

それらの思いとＳＡへの出店条件とが重なったことで、荻野屋を新しいステージに上げられる絶好の機会と考えての高級店への挑戦であった。

オープン当初は、連日連夜満席で、仕込みが間に合わないほどの盛況ぶりだった。

しかし、長続きはしなかった。高級店を標榜したあまり、荻野屋の看板商品である釜めしを提供しなかったこともマイナスだった。実際は「脱釜めし」に挑戦し、新しい荻野屋を表現しようとしていたのだが、「おぎのや＝釜めし」のイメージが強すぎることを痛感し、峠の釜めしのブランド力の強さを再評価することになった。だが、日に日にお客様の足は遠のいていった。

高級日本料理店の失敗とバブル崩壊

調理人の人事管理にも問題があった。

当時の日本料理の世界では、親方を中心とした料理人のヒエラルキー制度が存在していた。ホテルや旅館などでは、親方とその弟子が一つのチームとして働くという労働慣行があった。親方を雇用すると、弟子集団も一緒に雇用されるという仕組みである。弟子にとっては親方が絶対的な存在であり、親方は調理場の全権を握っていた。提供するメニューから要員体制など、すべてを親方が決めていた。

親方の雇用主である荻野屋は、料理のメニュー変更や調理場のオペレーション、人事管理などに関し何も口出しできなかった。しかも親方の機嫌を損ねると、調理場全体がストップしてしまう。お客様の要望に応じて臨機応変に調理場のオペレーションを変更できない体制だったのである。これでは、荻野屋が経営努力しようとしても現場は動かない。親方に指図しようものなら、機嫌を損ねた親方が突然辞めると言い出し、弟子を引き連れて出て行ってしまう事態に陥りかねなかった。

1990年（平成2年）ごろからバブル景気が崩壊しはじめると、高級日本料理店の客足はぴたりと止まった。その後も高級料理店として事業を継続したものの、閉店まで一度も黒字に転換できなかった。高崎インターチェンジ近くへの出店は明らかに失敗だった。

だが、この失敗で忠顕が学んだことも多かった。多数のお客様に対応するフルサービスレストランの運営の難しさを知ったのである。高速道路のSAに出店するには、メニュー設計から食材調達、要員管理などをトータルにオペレーションする仕組みが必要であるこ

上信越自動車道（上り線）横川サービスエリア店。1993年（平成5年）オープン

とを学んだ。この痛い失敗が、その後のＳＡへの出店に役立ったことはいうまでもない。

荻野屋の存続のためには、新たにできる上信越自動車道・横川ＳＡへの出店を是が非でも実現させなければならなかった。それは荻野屋だけでなく、他社にとっても大きなビジネスチャンスである。荻野屋は横川の地をホームグラウンドとし、国道18号線沿いに大型ドライブインを運営してきた実績もある。高崎への出店は業績的には失敗であったが、大型レストランの運営実績を積むことができた。忠顕をはじめ、荻野屋の役員一同のロビー活動の甲斐もあって、何とか落札し、１９９３年(平成５年)３月、上信越自動車道の開通と同時に横川ＳＡ（上り線）にテナントとして入店が叶ったのである。

「平成不況」の中で拡大路線

日本経済はバブル崩壊後、「平成不況」といわれる低迷期に入っていた。横川ＳＡへの出店は、平成不況の真っただ中の事業であった。だが忠顕は、１９９８年の長野オリンピックの開催をにらみ、千載一遇のチャンスを逃すまいと拡大路線に邁進した。

横川―軽井沢間の路線が廃止されると、横川駅での釜めし販売は激減する。今後、荻野屋の売上げは大きくドライブイン事業にシフトすることになる。高速道路網の整備は、長野オリンピックの開催に向け加速するだろう。忠顕は、諏訪店のように交通の要所にドライブインを建設すれば、それまで以上に多くの集客が見込めると期待していたのである。

高級日本料理店の失敗で、荻野屋の看板商品である「峠の釜めし」の力を改めて学んだ。そこで忠顕が思い描いたビジネスモデルは、釜めしの魅力で集客し、土産品やその他の飲食で収益を積み上げるというものだった。今後、ドライブインや高速道路のサービスエリアなどに多店舗展開していくとすれば、荻野屋のキラーコンテンツである釜めしの十分な供給体制を整えなければならない。新たな弁当工場の建設が急務となったのである。

弁当の物流を考えれば、工場の建設場所はインターチェンジの近くが望ましい。当初はインターチェンジ近くの土地を物色したが、最終的にたどり着いたのは自社内でのリストラクチャリング（事業構造の再編）だった。

上信越自動車道が開通すれば、一般道である国道18号線の利用は激減すると見込まれる。そうなれば横川駅だけでなく、横川店のお客様も減っていく。現状の横川店はオーバーキャパになり、無駄なスペースが増えることから、横川店の機能を見直し、新たに生まれるスペースに工場をつくるという案だった。まさに時代の変化に応じて、持てる資産を見直し、再構築（リストラクチャリング）することに舵を切ったのである。

横川店の駐車場を3分の1減らし、レストランや土産品売り場、薬局などを大幅に縮小した。空いたスペースには新工場とその事務管理スペース、荻野屋が提供するそば、うどん、ラーメンなどの製麺工場を新たに新設した。

横川店に併設する形で工場が完成し、さまざまな経営効率が高まった。工場が近くにできたため、事務管理面の効率が上がるとともに、お客様にもできたての釜めしをすぐ隣で販売できるという利点が生まれた。また、釜めしの大きなセントラルキッチン工場ができたことで、ドライブインへの積極的な出店を支える製造、供給体制が整ったのである。

長野オリンピック開催、営業範囲拡大

一方、忠顕は長野オリンピック開催に向けて整備される高速道路網へのアクセス強化を目指した。高速道路の複数の地点に出店し、点から線へ、そして面へと営業範囲を広げようとした。横川駅を本拠として、その周辺に出店していたそれまでの営業範囲を一気に拡大しようとしたのである。

忠顕は、オリンピック開催の際に長野方面へ観光バス利用が増えることを想定し、佐久インターチェンジの目の前にドライブインを建設するとともに、長野オリンピック会場の近くにドライブインを建設することを狙った。佐久は、横川から長野、諏訪へ行く際の中間地点に位置する。横川と1983年（昭和58年）にオープンした諏訪店との中間に店舗が存在することは、物流の効率性などを考えてもよい立地であった。

忠顕の頭には、観光事業を活用する経営構想があった。特に、観光資源が豊富な信州エリアにはかねてから魅力を感じていた。荻野屋は横川にあったが、すぐ西には国際的にも

名が通っている軽井沢が存在する。その先には、浅間山や北アルプスとも呼ばれる飛騨山脈が広がっている。夏は避暑地として、冬はスキーリゾート、温泉地として観光客が集まる。そこで荻野屋としてビジネスを展開することを楽しみにしていた忠顕であった。1983年の諏訪店オープン当時から忠顕の頭にあった構想は、いよいよ実現に向けて動き出した。

諏訪店の場合と異なり、佐久店はまだ高速道路も通っていない場所への出店だった。インターチェンジがどこになるかも決まっていない。忠顕の出店戦略は明快で、交通の要所となるインターチェンジのそばに出店する、というもの。そのためインターチェンジの場所を他社に先駆けて知り、有望地を押さえなければならない。

忠顕は地元行政、政治家をはじめ財界に至るまで、あらゆる方面の人たちに接触し、情報収集に精を出した。有力な情報をつかむと、思い切って行動し、土地買収に動いた。忠顕は、白樺湖周辺、蓼科エリアは日本有数の山岳部リゾート地であり、高速道路の開通でますますその価値は高まると判断していたからである。しかも佐久は、蓼科エリアにアクセスする上信越自動車道の要所であり、多くの観光客で賑わうはずと考えていた。

大型ドライブイン「佐久店」オープン

ドライブイン「佐久乃おぎのや」（以下、佐久店）がオープンしたのは、横川ＳＡへの出店から1年4か月後の１９９４年（平成６年）7月だった。佐久インターチェンジを降りると、すぐ目の前に大きな砦のような和風建築として完成したのである。バブル崩壊後の平成不況の中で取り組んだプロジェクトだったことを思えば、実に大胆な決断だった。

佐久店は大型バス60台、乗用車１５０台が駐車可能という広大な駐車場を備え、三階建ての超大型ドライブインだった。一階には、横川店の倍以上の土産品売り場と自社製造菓子工場を設け、客席数２５０席の大型フードコートを構えた。二階、三階には雄大な浅間山が眺められる団体予約席があり、収容人数は３０００名という破格の規模だった。

まさに信州の観光活性化を目指した収容施設だった。上信越自動車道は当初、佐久インターチェンジが東京方面からの終着点だった。佐久インターチェンジは交通の要所となり、佐久店は忠顕の思惑どおりに団体客をはじめ乗用車利用の観光客で賑わった。

バブル崩壊後に豪華なドライブインとして誕生した佐久店は、信州の観光地としての将

おぎのやドライブイン佐久乃おぎのや。1994年（平成6年）オープン

来性を見据えた忠顕の英断ではあった。だが日本がその後、長い低迷期を余儀なくされ、荻野屋にとって佐久店が重荷となろうとは当時の忠顕は知る由もない。

忠顕がなんとしても出店したいと考えたもう一つの場所は、長野オリンピックの開催会場の近くだった。候補地は二つあった。一つは長野インターチェンジの近くである。長野市の玄関口で、その周辺には室内競技が開催されるオリンピック施設が建設される予定だった。もう一つは信州中野インターチェンジの周辺で、スキー競技が開催される志賀高原が近くにあった。

甲乙つけがたかった。

長野インターチェンジの近くは、まさに

長野市への出店となる。すでに多くの会社が、進出を狙って土地取得に乗り出していた。目ぼしい土地はなくなりつつあった。

また、信州中野インターチェンジ周辺への出店にも忠顕は魅力を感じていた。志賀高原は約20か所のスキー場が点在する一大スキーリゾートである。標高が高いため雪質は極めて良好である。忠顕は荻野屋に来て以来、何度も志賀高原を訪れ、そのたびにヨーロッパに匹敵するリゾート地だと惚れ込んだ。

高速道路が開通する前は、自動車でのアクセスは国道18号を利用するしかなく、横川からでも片道5時間程度かかった。高速道路が開通すれば、2時間ほどで行けるようになる。オリンピックが開催されれば知名度は世界レベルとなり、国際リゾートとして世界中から観光客が押し寄せてくるのではないかと忠顕は考えた。

忠顕はどちらにするか迷ったが、取引先から長野インターチェンジの近くにある川中島合戦場跡地のそばに土地が借りられそうだという話が持ち込まれる。川中島合戦場は武田信玄と上杉謙信の最大の激戦地として、歴史的に有名な場所である。その近くの土地を、荻野屋の取引先から一緒に借りないかという打診だった。借りられる土地は広く、一社だけでは使いきれないので、懇意にしていた荻野屋に共同で借りないかという話である。

おぎのやドライブイン長野店。1997年（平成9年）オープン

長野インターチェンジの近くにドライブイン建設用地が借りられるという情報は、願ってもないことであった。志賀高原への進出は魅力的ではあったが、滅多にない話を逃したくはない。忠顕は、持ち前の行動力で長野店の出店へと大きく舵を切ったのである。

長野オリンピック開閉会式の行われる長野オリンピックスタジアムから自動車で5分という好立地に、1997年（平成9年）1月「おぎのやドライブイン長野店」（以下、長野店）はオープンする。オリンピック開幕は、あと1年後に迫っていた。

1998年（平成10年）2月、長野オリンピックが開幕した。忠顕はオリンピックの開催が決まってからの10年間を遮二無二走った。新幹線の開業と高速道路の整備が同時に進む交通インフラの大きな変化に遅れまいと全力で突っ走った。社内の抵抗もあった。失敗もあった。だが一度決めたらやり通す、後ろを振り返らず行動する、というのが忠顕の流儀だった。そのおかげで、荻野屋の新しいページをめくることができたのである。

長野オリンピックが変化への触媒

長野オリンピックが開会し、多くのお客様が荻野屋の各店にやってくる姿を見て、忠顕は大きな手応えを感じた。海外からの来店客も多かった。忠顕は、ヨーロッパ仕込みのホスピタリティを実践し、外国人客にも声をかけて回った。オリンピックならではのピンバッジの交換など、国際交流が行われる様子を見ながら、忠顕は自分が思い描いていたことが実現に向けて動きはじめていると感じた。

荻野屋にとって、長野オリンピックは変化への強烈な触媒となったのである。

ここで、長野オリンピックの5か月前の大事な出来事を記しておかねばならない。

1997年（平成9年）9月30日、信越本線横川—軽井沢間の廃止の日が訪れた。翌日に開業する長野新幹線へバトンを渡すためだった。信越本線横川駅周辺には、廃止を惜しむ鉄道ファンのみならず多くのお客様が駆けつけてくれた。荻野屋本店のある横川駅には、朝から多くのお客様、マスコミがごった返し、本店では開店前からお客様がいまかいまかと待ちわびていた。

この日を忠顕は感慨深く迎えた。

忠顕は荻野屋に入社し、初めて「峠の釜めし」と出合った。その商品を軸に荻野屋を単なる弁当屋から観光事業も手がける会社へと育ててきた。新たにドライブイン事業を推し進めてきたが、みねじが築いた荻野屋をさらに進化させてきたという自負もあった。

荻野屋の歴史の中で重要な役割を担ってきた横川―軽井沢間が廃線となると、横川駅は停車する特急列車がなくなり、単なる終着駅となる。「みねじが生きていたら、どのように感じたのだろうか」と忠顕は思いを馳せた。

この横川駅は、横川―軽井沢間という路線が存在し、機関車の連結のため必ず停車する駅だったからこそ、みねじはお客様の声に直接耳を傾けることができた。そのお客様の声から「峠の釜めし」は生まれ、荻野屋の地道な努力と思わぬ幸運とで「キング・オブ・駅弁」とも呼ばれるまでになった。

おぎのや本店と横川駅

横川駅は、荻野屋の原点である。

横川駅に入ってくる列車に向かって荻野屋の従業員が感謝の意を込めて目迎し、列車が出発する際には、旅立つ列車に向かって目送する。まったく弁当が売れない時代から、みねじはお客様への感謝を忘れることなく、来る日も来る日もお客様に頭を下げ続けた。みねじ亡き後も荻野屋で働く者たちは、お客様への目迎目送を忘れなかった。その光景が、この日の最終列車をもって終わってしまう。

この日が来ることはわかっており、忠顕はさまざまな準備を行い、新しい事業にも挑んできた。その行動は正しかったと思う。

しかし、大きな時代の流れによって、費

やしてきた努力の結果が消えるわけではないが、忘れ去られていくのは必然なのだろうか。先人たちの地道な努力を継承者の忠顕は心に刻まねばならないと思いながら、ふと『平家物語』の冒頭の一節を思い起こしていた。

「祇園精舎の鐘の声、諸行無常の響きあり。沙羅双樹の花の色、盛者必衰の理（ことわり）をあらはす。驕れる人も久しからず、ただ春の夜の夢のごとし。たけき者も遂には滅びぬ、ひとへに風の前の塵に同じ」

忠顕が入社したころは、すでに横川駅で「峠の釜めし」を買い求めるお客様がいて、立派な事業として成り立っていた。まさに駅弁業界の勝者として君臨し、常に日本一の駅弁の座を競っていた。それが当たり前のように思えたものである。

いまや時代の大きな波にすべてが流されるが如く、明日から駅での構内販売の売上げは押し流されてしまう。「峠の釜めし」が当たり前のように売れていることに驕れることなく、事業拡大を続けられるように、さらに精進しなければならない。外部環境次第で、事業は容易にひっくり返される。常に時代の変化を感じながら、事業の在り方を変えるからこそ、会社は生き残る――。荻野屋の歴史もまさにそのとおりであることに、忠顕は気づいたのである。

「目迎目送」をする駅販売員

最終列車を見送り、横川駅で最後の一礼

忠顕は、最終列車を妻の恭子とともに見送り、従業員一同深々と頭を下げた。荻野屋にとって歴史の一幕が終わった瞬間であった。

1997年(平成9年)は、荻野屋にとって歴史的な一年となるとともに、売上高も過去最大を記録した。横川駅での構内営業での売上げは予想どおり99%失ったが、忠顕が力を入れたドライブイン事業が功を奏し、荻野屋の命脈を21世紀へとつなぐことができた。

忠顕は、次なる一手を考えていた。

これからは大規模なドライブインではなく、ファミリー層が気軽に入れる中規模の都市型の店が主流になっていくのではなかろうか——。忠顕は、時代が多様化に向かって進んでいるのを敏感に感じていた。これから世の中は、コンピュータを使ったビジネスが当たり前になる。IT（情報技術）にアレルギーのない若者が活躍する世の中になるはずだ。若くて瑞々しい感覚を持った後継者が必要だ。それが忠顕の思いだった。

2003年（平成15年）2月、荻野屋に大きな衝撃が走った。忠顕が旅行先のサイパン島で亡くなったという一報が届く。荻野屋の従業員ら誰もがその知らせを疑った。

忠顕は、勉強会で知り合った友人の経営者たちと一緒にサイパンへ出かけた。リフレッシュを兼ねた研修旅行だった。荻野屋に入社した当時は、周囲には友人らしき友人もおらず、また経営者としての地位にありながら、経営についてはほとんど素人だった忠顕。あるとき、知人を通じて入会した経営者の会で同年代の経営者と知り合い、経営について学びはじめたのである。互いに切磋琢磨しながら、苦しいときも楽しいときも、ともに過ごしてきた仲間たちとの旅だった。

そのような戦友ともいってもいい友人の経営者たちとともに、サイパンで得意のゴルフを楽しみ、マリンスポーツに興じながら、束の間の余暇を楽しんだ。海が大好きだった忠顕は友人たちと昼食を終えると、シュノーケリングを使い、海へ潜った。忠顕は若いころ神戸の海で泳いだりヨットを楽しんだりしていた。生まれつき病気一つしない丈夫な忠顕は、柔道や野球、陸上といった運動もこなす運動神経抜群の男であった。

見た目にも若々しく、いつもそのことを自慢していた忠顕だったが、突然帰らぬ人になった。死因は溺死。直接の原因はよくわからなかった。享年61。早すぎる旅立ちだった。

突然の訃報に荻野屋全体が揺れた。カリスマ的な存在感で、荻野屋を引っ張ってきた経営者の死。このとき、次の代を引き継ぐことになる長男である私は、イギリスのロンドンに滞在していた。大学を卒業し、留学中だった。

第4章

孤独な継承者

――「峠の釜めし」の成功体験を見直す

母・恭子から、ロンドン留学中の私に電話がかかってきた。2003年（平成15年）2月11日の午前7時だった。私はまだ、ベッドの中にいた。

「もしもし、志和(ゆきかず)？　変な話だけど、パパが亡くなったんだよね」

母の声は、意外なほど落ち着いていた。

電話で起こされた私は、母の言葉をすぐには理解ができず、夢なのかと錯覚した。だが国際電話を通して、いつもの母とは違う様子がしだいに伝わってくる。ただならぬことが起きていることがわかり、父・忠顕の死を知った。そのとき、自分でも不思議な思いが鮮明になっていた。

「荻野屋を継がねばならない。横川に戻らねば……」

あれほど家業を継ぐのが嫌で、ロンドンまで逃げてきたのに、父の死を知り、まったく逆のことを考える私がいた。自分でも名状しがたい気分だった。

ロンドンで借りていたアパートをすぐに引き払い、3日後には実家のある横川に戻っていた。帰国準備を淡々とこなし、横川に戻った私は父の死を極めて冷静に受け止めていると思っていた。私が先に実家に戻り、その後に父の亡骸(なきがら)はサイパンから搬送されてきた。

これまで互いに、口を開けば口論となった父はもういない。私は「生前の父に私の思いが何も伝えられず、申し訳なかった」と嗚咽した。

私は、忠顕と恭子の次男として1976年（昭和51年）11月28日に生まれた。幼いころに一つ年上の兄を亡くし、それ以降は3人兄弟の長男として育てられた。地元の中高一貫校から、慶應義塾大学法学部法律学科に進んだ。

父は晩年、荻野屋を継ぐために私に家に戻ってくるよう再三促したが、私は対立するばかりの父と一緒に働くという考えは毛頭なかった。

嫌だった「荻野屋の息子」

私は高見澤家に生まれ、荻野屋のおかげで育ったにもかかわらず、小さいころから「荻野屋の息子」と見られるのが嫌で仕方なかった。一人の人間である志和という存在があるのに、「荻野屋」の商号がついて回る。「釜めし屋なんて大嫌いだ」と幼心に思っていた。荻野屋の歴史や内実を知ろうともしなかった。

知っていることといえば、小遣い欲しさに中高生の夏休みにドライブインでアルバイトしたときに、賄い料理として食べた釜めしと弁当の味ぐらいだった。大学に入学し、東京で一人暮らしを始めてからは、家業に対する関心はますます薄れていった。

一方で卒業が近づくにつれ、荻野屋を継いでくれという父の思いをひしひしと感じるようになり、荻野屋の存在を恨んだものである。

とはいえ、何不自由のない生活を送らせてもらっていたことに感謝はしていたが、そのころの私にとって、自分の将来を縛りかねない荻野屋や父の言動は受け入れがたいものだった。大学卒業後は、生まれ育った荻野屋とは無縁なところで、自分自身の能力で生きていきたいと思っていた。そのために独学で経営の知識を深めるために、さまざまな経営書を読み、自分自身の知識を高めていた。公認会計士になって独立する夢を抱いたのもそのころだった。

父への根強い反発心は大学卒業後も続いていたが、誰しも20歳を過ぎ、成人になるにつれて、親の気持ちもほんの少しわかるようになってくる。

こんなことが、父との間であった。

生前、父は一度だけ、自分が若いころにヨーロッパに渡った経緯やシェフを志したころの思い出を話してくれた。昔を懐かしむように事細かに話す父に、そのときは素直に寄り添えた。それがきっかけだったろうか。父の功績などを聞き、尊敬できるようになった。

いつも口論になり対立したのだが、私が大学に進学すると、そのときばかりは心の底から喜んでくれた。東京で一人住まいをするようになると、ヨーロッパ時代の友人との席やフランス料理関連の会に何度か私を連れていってくれた。そんなときの父は、家で口論するばかりの憎い父ではなかった。父の友人や修業時代の後輩たちから高い評価を受けている様子や、料理やワインに関する豊かな知識を披露する父を見ていると、誇らしく感じたものである。

それでも父が経営している荻野屋には、まったく興味を持てなかった。そんな私に父は荻野屋を継がせようとして、事あるごとに「荻野屋を継ぐのはお前しかいない」と繰り返していた。大学を卒業した際、結局、荻野屋には入社せず、語学留学のためにロンドンに向かった。海外の大学への留学を考えていたからである。

父が亡くなる2か月ほど前の年末年始、私はロンドンから帰国し、実家で過ごした。父は運転手代わりに私を使い、荻野屋の店舗を回り、社員たちに私を紹介した。私もはなから嫌がるのではなく、それに付き合った。

父の死で決心

ロンドンでの生活が父と私の対立の冷却期間になったのかもしれない。私に対する変わらない父の愛情を改めて知るとともに、何不自由なく暮らさせてもらっているのに自我ばかりにこだわり、父の思いを拒否してきた自分の未熟さに目を向けるようにもなっていた。だからこそ、父・忠顕が死んだときにその思いに応えることが、父が生きている間には果たせなかった親孝行になると気がついたのだ。

父の急逝で、自分自身の決心が固まった。私は、荻野屋に入社することを運命だと受け止めた。

忠顕が経営していた荻野屋は、主に二つの法人から成り立っていた。弁当の製造と卸売り、ＪＲ構内営業部門からなる「株式会社荻野屋」と、ドライブイン事業を手がける「株式会社おぎのやドライブイン」である。母・恭子は荻野屋の五代目として、株式会社荻野屋の社長であった。しかし、恭子は会社経営にはほとんどタッチせず、忠顕が荻野屋グループの代表として両社の経営を任されていた。

忠顕が亡くなった直後、ドライブインの社長には、ある親戚筋の人物が就任するのではないかと噂された。

しかし、忠顕が生前お世話になっていた経営コンサルタントの方のアドバイスは、「髙見澤家の直系の者以外が社長になることは、将来へ禍根を残すことになる」というものだった。そのため当面の間、恭子がおぎのやドライブインの社長も兼務することになった。

忠顕亡き後の荻野屋の経営体制は、髙見澤家が経営のトップに君臨する体制を形のうえで維持しながらも、忠顕とともに荻野屋をつくってきた経営陣に任せることになった。そこに私が取締役として新たに加わった。

私は髙見澤家の嫡男ではあったが、これまで荻野屋の経営に一切関わっていなかった。「志和さんは、まず社員として仕事を覚えたほうがいいのではないか」という意見もあったが、恭子が実質的に経営に参加しないということで、その代理という意味を込めて取締役に就任することになった。

実は忠顕が亡くなった直後には、今後の荻野屋の経営体制を巡って二つの考え方があった。一つは髙見澤家の本家筋が実権を持ち続けるというものであり、もう一つは忠顕の時代にドライブイン事業を伸ばしてきた親戚筋の役員たちに経営を任すというものだった。

こうした対立は同族会社にはよく見られることである。

そして、当時の荻野屋ではもう一つの対立も存在していた。忠顕は、髙見澤家とゆかりのある人物だけではなく、自分と親しく能力があると認めた外部人材を積極的に登用していた。忠顕が採用した「外様役員」と親戚筋の役員との間に溝が生まれていたのである。

忠顕と外様役員は、新しい荻野屋を模索していた。それに対し、親類筋の役員の中には会社が成長していくにつれて自分自身の功績と勘違いする者もおり、そのことが荻野屋全体のサービスや考え方を低下させることにつながりはじめていた。またその後、忠顕の逆鱗に触れて失脚することになる役員は、取引業者に対して強要するような態度でリベートを要求していた。会社が大きくなる弊害で、親類筋の役員の横暴が目立つようになっていた矢先に忠顕は亡くなった。

髙見澤家の嫡男を「錦の御旗」に

ポスト忠顕の座を荻野屋で誰が担うのかを明確にすることが必要だった。私は荻野屋の経営にはまったくの素人であったが、髙見澤家の嫡男という正当性は担保されていた。「錦の御旗」として奉られる存在としては十分だった。そのような事情を理解したうえで、私は自分自身が担ぎ上げられるのを知りながら、むしろそれを利用したほうが、荻野屋での私の仕事はやりやすくなると考え、あえて奉られることを受け入れた。

荻野屋に入社したからには、会社の業績を向上させることが、自分の責務であり、役割であると考えていた。そのためには「錦の御旗」として担ぎ出されたほうが得策である。自分自身の発言が通りやすいような組織と、それを擁護してくれる体制ができあがると見ていたからである。

入社前には思ってもみなかったことだった。いつのまにか荻野屋という会社を、自分が持っている知識を発揮する場だと捉え、仕事にやりがいを感じはじめていた。自分の実家である荻野屋の看板を継ぐということよりも、うぬぼれたいい方ではあるが、「プロの経営者」として責務を全うしたいという意識のほうが強かったといっていい。いま思うと、恥ずかしい限りである。

私は大学時代、法学部で法律を専攻していたが、途中で法律よりも経営学のほうに興味を持ちはじめた。会計など経営関係の専門書を読み学ぶとともに、一時は公認会計士を目指したこともある。会計や民法、商法に関する知識もあった。いずれは会社経営にプロ経営者として関わり、力を発揮したいと夢見ていた。それが荻野屋で図らずも実現するかもしれない——。そんな思いを抱きながらのスタートだった。

経営者がみねじから忠顕に代わり、そして忠顕が亡くなっても、荻野屋の製造・販売現場はしっかりと機能し、定められたことを忠実に実行することができていた。そのため日々の売上高を着実に積み上げることのできる仕組みは完成していた。

特にみねじの時代から培われてきた衛生管理体制は徹底され、忠顕の時代からはより科学的な手法が導入され、独自の衛生管理体制が確立していた。計画どおりに釜めしを製造し供給する態勢と、供給された商品をドライブインやサービスエリア、小規模店舗で売りさばく運営は、それぞれの現場の責任者が滞りなく進めていた。現場のオペレーションは、実にスムーズに実行されていた。

財務諸表を見て驚愕、巨額の借入金

しかし、私は入社後に初めて見た財務諸表の内容に驚愕した。大学時代に父・忠顕から会社の実情を聞かされることはあったが、当時は荻野屋には興味がなく、上の空で聞いていた。ただ、忠顕が十分な会計知識がないまま経営に携わっていることがうすうすわかり、父ではあったが小馬鹿にしたこともあった。財務諸表を初めてつぶさに読み込み、そのときの忠顕とのやりとりを思い出した。現場を見る限りしっかりした会社だと思っていたが、財務状況の悪さは想像以上だったのである。

株式会社荻野屋と、株式会社おぎのやドライブインの二つの会社の財務諸表を分析した。財務諸表を見て驚いたのは、借入金の多さである。「この巨額な借入金は返済できるのだろうか」と途方に暮れた。

父・忠顕が急ピッチで進めた拡大戦略の結果であることは明白だった。思いっきりのいい性格で、「こうだ！」と思ったものは細かいことは気にせずに行動する、父らしいともいえるが、まず当面の目標は借入金を減らすことだ。自分自身に課せられた責務として取り組まねばならない。１９９０年代のバブル崩壊後に姿を消していった会社は数多い。同じような運命を荻野屋が歩むわけにはいかない。経営改革が急務だった。

私が入社した２００３年（平成15年）は、いわゆるＩＴバブルの崩壊直後だった。荻野屋の売上げは、長野オリンピックが開かれた１９９８年（平成10年）をピークに減少が始まっていた。

忠顕の時代の荻野屋は、ドライブイン主体の観光産業に特化したビジネスに転換していった。ドライブインへ来店いただけるお客様は、旅行会社を通じてのバスツアーを利用される方が大半を占める。「峠の釜めし」という看板商品を旅行会社に売り込み、荻野屋の店舗を利用してもらえるよう営業活動を展開したのである。信州方面のバス旅行の途中で休憩や食事、土産品購入のためにドライブインに寄ってもらい、荻野屋の売上げを確保する。その見返りの手数料を旅行会社へ支払うというビジネスモデルだった。

横川駅での構内営業が終了した後は、ドライブイン4店舗と高速道路サービスエリアの売上げが荻野屋の売上高の大部分を占めていた。製造会社である荻野屋が釜めしを「おぎのやドライブイン」に販売するというグループ間取引を売上高として計上していた。対外的には荻野屋とドライブインの売上高を合算し、かさ上げした数字が荻野屋の売上高となっていた。もちろん、連結決算をする必要はなかったものの、荻野屋の経営陣はグループ間取引で売上高が大きくなっていることに満足している様子だった。そのことに私は驚いたのである。

ドライブインは、忠顕が掲げた売上至上主義が徹底していた。多くのお客様が来店していただけるうちは、薄利多売であっても何とか経営が成り立った。ところが、集客が思うように進まなくなると一気に問題が露呈した。材料にこだわるのはいいのだが、中にはあまりに高い原価の商品、売れば売るほど赤字の商品を抱えていたのに、お客様に来ていただけさえすれば何とかなる、という考えが大勢を占めていた。みねじの時代とは違った意味で、どんぶり勘定であった。客足が伸び悩む中で、収益性の悪さが目立ちはじめていた。

急拡大の弊害

忠顗の時代は、バブル景気を経験した後、長野オリンピックへ向けて交通インフラの整備が進み、一気に観光客が増大した時代である。外部環境の恩恵を十二分に受けて成長できたのである。鉄道からモータリゼーションへと変わる時代に、絶体絶命の危機を回避し、新たな事業構造をつくりあげたことはすばらしい。だが、実力以上に荻野屋の業績が伸びていったために一部の役員や現場管理者に慢心が生まれ、みねじの経営哲学が蝕まれはじめていた。現体制の限界を感じていた忠顗は、幹部社員を積極的に外部の研修に参加させたり、外部から積極的に人材を招聘するようになり、新しい体制を築いていこうと考えていた。

忠顗は、力強いリーダーシップを発揮し、社内には、忠顗の機嫌さえとっていれば、万事うまくいくという空気が広まった。また、荻野屋の苦しい時代を知る役員や社員が減り、多くのお客様に来ていただけるのが当たり前と思うような状況になっていた。大きな視点で会社を発展させることに目が行きがちで、細かいところは部下任せという忠顗の優しさが、そのような結果を導いたのかもしれない。

かつて、みねじの時代の前半はお客様が少なく、どうすればお弁当を買ってくれるのかと思案する日々だった。その後、「峠の釜めし」を売り出し、多くのお客様に来店いただけるようになったものだから、みねじと従業員はお客様の来店に心より感謝し、もっと喜んでいただこうと努力した。しだいに荻野屋が大きくなり、お客様の数も増えてくると、多くのお客様に来ていただけることが、いつの間にか当たり前のことになっていった。感謝の気持ちが薄れてしまったのである。結果的に、一つひとつの仕事の質が低下していった。

荻野屋が大きくなるにつれて、現場の社員たちの間には、自分たちの作業を仕入れ業者や下請け業者に任せてしまうような仕事のやり方が広がっていた。自分たちでお客様の喜ぶ姿を想像し、仕事を組み立てるという、みねじの経営哲学からおよそかけ離れたものだった。幹部社員の中には、現場に赴いて仕事内容を確認することを怠る者もいた。

単価が安いからといって大量の消耗品や包装資材や食材を仕入れてしまい、未使用のまま大量に在庫として残る、大量放置・大量廃棄が後を絶たなかった。

また、従業員の労働管理もほとんど行われておらず、長時間働く人間ばかりが評価され、能力ではなく、出社から退社までの労働時間の長さが評価されるというありさまだった。このため人件費の増大を招いただけでなく、たびたび労働基準監督署から指摘される事態を招いた。経営陣の中で、人件費の高さに異を唱える者もいなかった。

このような労働管理体制の甘さは、仕事のオペレーションにも影響を与えていた。現場が忙しいという理由で、オペレーションが簡単なメニューが優先された。食事メニューはこだわりをもってつくられているものが少なくなり、どこにでもあるようなメニューばかりが増えた。お客様の喜びを最優先させる経営からは程遠いものに変質していった。

このことは食材原価率の上昇を招き、原価管理のずさんさも加わり、利益を圧迫した。そのような事態は、全体的にうまくいっていれば、細かいところは気にしない忠顕の性格が反映したものともいえるが、忙しさをなくし、従業員を楽にしてやりたいという忠顕の優しさの表れでもあった。だが、現場の管理体質の緩さは、外部環境の悪化とともに荻野屋の台所事情を悪化させていくことにつながった。

「荻野屋が潰れてしまう」

忠顕の時代は売上げが順調で、日々のキャッシュフローは潤沢だった。運転資金はある程度確保でき、支払いなどの決済に支障を来すことはなかった。一方で、財務部門担当者の仕事はなおざりだった。現場から上がってくる伝票をそのまま処理するだけで、経費支払いのチェックもしていなかった。

「このままでは、荻野屋は潰れてしまう」。忠顕が築いてきた荻野屋をすぐさま全否定はできないが、忠顕が実践してきた方針を修正しないと荻野屋の未来はないと思えた。

私の心の中には大きな懸念が膨らんでいたが、多くの荻野屋の経営陣には危機意識が希薄なままだった。当時の荻野屋の経営幹部には驕りがあり、時代の恩恵を受けて成長できたに過ぎなかったのに、強い成功体験を感じていた。そのため、何も変える必要はないと思う者が大半を占めていた。根拠のない自信が社内にはびこっていたのである。

そこで、私は自分のやり方を通そうと、徹底的に自分の方針を主張し、半ば強引に社内改革を推し進めていった。もちろん入社したての私一人ではそんな力はなかったが、荻野屋をよりよくしたいと思う数人の経営幹部が支えてくれた。彼らは、忠顕が連れてきた外様の役員だった。忠顕に強い恩義を感じている役員たちが前面に立ち、26歳で若くしてトップの座に就いた私を支える体制ができあがった。

一方で、多くの古参役員や現場の従業員からは「何もわかっていない若旦那が無理をいう」と受け止められていた。

私は2003年(平成15年)に、父・忠顕の死後に荻野屋の経営に参画した。社長は母・恭子だったが、経営にはほとんど口出しはしなかった。最初の1年間は、私はまさに孤独な継承者だった。

まず、何かを変えてみる。そして、変化が組織をよい方向に向かわせることを社員に実感させることが大切だと思っていた。

「峠の釜めし」に切り込む

私は、荻野屋の成功の象徴である商品「峠の釜めし」を変えることを提案した。それは劇薬であった。

どのように変えようとしたのか。

私が提案したのは、「海外での釜めしの製造販売にチャレンジする」というものだった。場所は、アメリカのカリフォルニア州ロサンゼルス。日系スーパーのミツワ・マーケットプレイスで開かれる駅弁大会へ出展しようとした。すぐさま社内で反対の声が上がった。「釜めしを海外で製造販売する？　なんて突拍子もないことを考えたものだ」と思われる方も多いに違いない。そのときに私が考えていた戦略を少し長くなるが説明させていただく。

父・忠顕の時代までは、「釜めしには旅をさせない」という方針があった。自社エリア以外での販売と自社施設以外での製造はご法度とされていた。これには、二つの理由があった。

一つは、衛生管理基準の観点である。自社以外の製造施設で釜めしをつくりはじめると、どのような衛生面でのリスクがあるかわからず、食品事故につながる恐れがある。

ある意味で、この考えは正しかった。だが、自社の衛生管理体制づくりには定められた基準がある。それを社外でも同様に守れば、自社の製造環境と同等の条件で製造できるはずと私は考えた。

忠顕の時代にも、釜めしの製造工場を本社工場から横川店に移転させたことはあった。その際には国際的衛生基準であるＨＡＣＣＰの考え方に準拠し、工場を運営した。ＨＡＣＣＰは「Hazard（危害）」「Analysis（分析）」「Critical（重要）」「Control（管理）」「Point（点）」の頭文字を取った略語で、安全な食品製造のための国際的な管理手法である。荻野屋では、みねじが徹底した衛生管理の概念を導入し、忠顕の時代になってＨＡＣＣＰの科学的手法を取り入れたのである。この考え方を踏襲すれば、国内外のどこの工場でも製造現場の衛生基準は担保されるはずである。

「釜めしには旅をさせない」もう一つの理由は、販売戦略に関わる理由だった。釜めしを限られたエリアで販売することで、その希少価値を上げるほうが得策だという考え方である。

みねじが釜めしの販売を始めたころには、消費期限の問題から工場から離れた場所での販売は衛生面のリスクが高かった。お客様にご迷惑をおかけするわけにはいかない、そして温かいうちに召し上がっていただきたいという理由から、エリアを限定して販売していたのである。

だが忠顕の時代になると、釜めしを「観光商品」と位置づけ、そこでしか食べることができない希少価値を売り物にし、釜めしを販売するという戦略を打ち出したのだ。それは上手な商売のやり方ではあるが、「お客様に喜んでいただく」という観点からは、少し手前勝手な売り方だと私は考えていた。

釜めしを横川周辺だけでつくるのではなく、遠くの地でもつくり、その地で売る。つまり、いろんな場所で「地産地消」してはどうか、というのが私の目指す戦略だった。「地産地消」に取り組むならば、できるだけ遠くの地でチャレンジしてみたい。海外でも駅弁大会を待ち望んでいるお客様は多く、「荻野屋の釜めしは熱望されている」と駅弁大会の主催者から聞いていた。その声に応えるのが荻野屋の責務であり、荻野屋が多くのお客様に支えられてきた理由である。だから何とか実現したいと考えたのである。

また、私が入社したときの荻野屋は、新しいことへの拒絶反応が大きかった。やる前から次から次とやれない理由を並べ立てる者が多く、荻野屋を停滞させていた。「現状の店舗で釜めしが売れているのだから、余計なことはやる必要はない」「忙しいのに新しいことをわざわざやるのは面倒だ」といった空気があった。

停滞は衰退――海外製造への挑戦

私は、停滞は衰退だと考えていた。これまでやっていないことをまず始める。海外製造はぜひとも進めるべきことで、最初の成功例とする必要があると考えた。海外の駅弁大会への出展は、半ば強引に進めていった。なぜなら、荻野屋の製造に関する考え方や仕事に対する意識を変えるきっかけになるはずと考えていたからである。

それまで荻野屋では、釜めしを自社工場の横川と諏訪以外では製造していなかった。それを短期間とはいえ、異なる環境、ましてや海外で製造するのだから面倒な作業である。だが、私はこれを絶好のチャンスと考えていた。コンスタントにいいことを同じように繰り返しできること、つまり再現できることが何事においても重要なことである。特定の人にしかできない、その場所でしかできないような再現性のない事業はビジネスではないと信じていた私にとって、海外で釜めしを製造する機会が訪れたのはチャンス以外の何物でもなかった。また「できない」「やらない」と、社内に停滞していた空気を覆すチャンスでもあった。

海外製造に際しては、できる限り原材料を現地調達するつもりだった。仮に今後、荻野屋が海外でビジネスを展開するようなことがあれば、食材は現地で調達したほうがコストは安くなるはずだ。現地で調達する食材で横川や諏訪でつくるのと同等の釜めしができれば、将来の荻野屋にとって貴重な糧になる。

そもそも私は、料理に使う食材は現地調達のほうがよいと考えている。私は、小さいころから父・忠顕に半ば強引に国内外の旅行に連れ出され、それぞれの地に特別な食文化があることを教え込まれていた。

たとえばフランス料理を見ても、フランスで食べる料理と日本で食べるものとは微妙に風味が違う。日本では日本人の味覚に合わせて提供されていることもあるが、食材も違えば空気や水も違うからである。世界に進出している日本料理のお店でも、明らかに日本で食べる味とは違うものが多い。場合によっては、日本人には必ずしも美味しくないものもある。それでも現地ではお客様が喜んでいるのを見ると、それは現地の食文化に馴染んでいるためだと思う。

初めての海外進出なのだから、さまざまなことを試そうと考えていた。何かを試せば、何らかの発見があり、進歩する。国内ならば簡単にできることでも、環境が変われば新たな問題が生じてくる。その問題を解決しようと検討すると、新たな知見が生まれてくる可能性は高くなる。

聖域なき改革──調理方法も見直す

国内で釜めしをつくる場合、毎日、それぞれの食材を加工したうえで、最後に釜めしに仕立て上げる。タケノコやシイタケ、うずらの卵、鶏肉など、釜めしに加える食材をまず調理し、小さな釜の中でご飯と一緒にして一つの釜めしに仕上げる。できあがりの釜めしの数に合わせて、毎日たくさんの食材を加工しているのだ。

私は、それぞれの食材をまとめてつくり、たとえば真空冷凍して保存しておけば、臨機応変に釜めしがつくれるのではないかと考えた。さまざまな角度から新しい試みをすれば、海外で調達できない食材を日本から持っていくこともできる。そんな提案をすると、製造現場からは「昔から、今日つくるものは今日つくるのが決まりです」「違うつくり方をすれば、味が変わってしまいます」と異論が出た。

ならば、実際に試してみようということになった。「峠の釜めし」の製造過程を細かく分解し、製造プロセスを何度も見直して、できあがりを評価した。製造プロセスを見直しても味が変わらないものもあれば、大きく味が変わってしまい売り物にはならなくなるものもあった。その試行錯誤から、従来の製造プロセスの強みと弱みが再認識できたのである。「峠の釜めし」が誕生して以来、何年もの間、同じようなプロセスでつくり続けていたのだが、食材などの風味やバランスが変わると完成品にならないという、非常に敏感な商品であることを改めて知った。また、プロセスを変えても、味は変わらないものもあることがわかった。このことは私だけではなく、荻野屋の製造に長年携わってきた製造部長たちも驚かせることになった。

このようなさまざまな知見を得て、海外製造に向けて解決すべき課題と工夫が見えてきた。製造現場と一緒に製造プロセスを見直したことで、短期間で海外での釜めし製造を実現することができた。２００４年（平成16年）11月に米国カリフォルニア州で開かれた「全国有名駅弁大会」では、「峠の釜めし」を４日間で約３０００食製造し、おかげさまで完売することができた。

海外でも、日本と遜色ない形で釜めしを製造することが実証できたことは、荻野屋の可能性を広げた。カリフォルニアでの駅弁大会の成功を機に、他の百貨店からもお声がかかり、出張製造が増えていった。

日本国内でも熊本や京都、仙台など、消費期限の問題から輸送できなかった地域でも釜めしの製造販売ができるようになった。普段はなかなか群馬や長野へおいでいただけない多くのお客様に喜んでいただけるようになったのである。

どの会社でも、寿命の長いヒット商品を見直すのは容易ではない。荻野屋の場合も、主力商品である「峠の釜めし」は完成されたものとして認められ、社内でも誰も口を出すことができない神聖不可侵なものだと思われていた。もちろん、お客様との長年のやり取りから定まった盛りつけ方法や具材を踏襲するのは理にかなっているのだが、サプライチェーンに携わる仕入れ業者との商慣行にも口を出しにくい社内風土ができあがっていた。

荻野屋でタブーとされてきた看板商品の製造販売方針を見直すことを断行し、荻野屋を古い考え方と体質から脱却させようと私は取り組みを加速させた。

取引先との悪弊を断つ

釜めしという社内いちばんのタブーに手をつけてみると、次々と隠れた課題が見えはじめた。釜めしをはじめとした荻野屋の仕入れを巡るさまざまなよからぬ実情が露呈したのだ。これまでの急拡大による弊害であった。

一部の仕入れ業者が荻野屋に卸していた商品の中に、異物混入や消費期限切れ、通常価格よりも高く買わされたものがあったのである。発覚したのは、お客様からのクレームが発端だった。信頼していた仕入れ業者に裏切られた気分だった。2000年(平成12年)に雪印乳業の集団食中毒事件が起き、その後、食の安全性を揺るがす問題が食品業界で立て続けに発生した。そんな不祥事とは無縁だと思っていた荻野屋にも、食品偽装の問題が仕入れ業者から発生していたのである。

私は入社からまだ日が浅く、仕入れ業者との取引の実態についてつぶさに把握はできていなかった。仕入れ業者と役員らとのやり取りを見る限り、食品偽装問題が起きるとは思ってもいなかった。だが、荻野屋と仕入れ業者との不正常な関係は長年、続いていた。仕入れ業者の中には、一部の役員と仲よくしていれば、無理をいわれることはなく、うまく商売ができる関係が生まれていた。一方で、特定の仕入れ業者を優遇する代わりに、その役員は裏でリベートなどを強要していた。

忠顕の時代にも取引先との不正常な関係が発覚し、担当役員が解雇に追い込まれることがあったが、その後も「なあなあ」の関係があると思っていた取引先もあった。それほど、荻野屋の管理体制は甘かった。

問題を起こした会社の中の一社は、荻野屋と古くから取引がある会社で、荻野屋が苦しいときには無理なお願いにも快く応えてくれてきた「戦友」でもあった。しかし互いに経営者の代替わりがあり、関係は変質してしまった。忠顕の時代には拡大路線が進められ、荻野屋の売上高は右肩上がりに伸びていく。それにつれて、仕入れ業者も自動的に業績を伸ばすという関係ができあがった。経営努力をしなくても荻野屋と仲よくしておけば会社は安泰という状況が、一部の会社を勘違いさせたのだ。

このような問題を引き起こした会社の中で、反省の色が見えない会社があった。一時的に取引が停止されたとしても、荻野屋の他の役員との友好関係を継続していれば、いずれ取引は復活すると踏んでいる様子だった。

私は、我慢がならなかった。荻野屋が馬鹿にされていると感じるとともに、お客様への思いがまったくないことに心底憤慨した。荻野屋はお客様からの批判の矢面に立ちながら、お店で商品とサービスの提供を続けていた。荻野屋を信用して、お店に来ていただいているお客様に対して一部の仕入れ業者がそのような姿勢でいることは、大変申し訳ないと感じた。何より荻野屋に対する信頼を失墜させてしまう。そうなれば荻野屋の売上げは減少し、働く従業員にも申し訳ない。

私は、反省も改善も不十分な会社との取引を即刻停止した。荻野屋と過去にどんなに友好な歴史があったとしても例外はなかった。取引先からだけでなく、社内の一部からも異論があったが、厳しい措置を断行した。

これを契機にして、仕入れ業者の選別に努めた。長い間、全面的に仕入れ業者を信頼してきたがゆえに、一部の業者が相次いで起こした問題だった。すべての仕入れ業者との取引について見直し、取引慣行や価格を含めた取引条件を点検した。

安定供給に必要な緊張感

「戦友」である仕入れ業者の一部が提供する食材の品質点検は長期間なされず、同じ取引先がずっと使われていた。当然のごとく、荻野屋と取引先との間で緊張感のない関係が醸成された。同じ取引先で同じ品質の食材が安定供給されることは、ビジネス上は欠かせない要素である。だが、同じ会社に頼りすぎていては問題が発生し、その会社からの供給が途絶えたら一気に体制が崩壊する。品質面でも食材の質に目を光らせていたものの、食材が変わっても相見積もりをほとんど取らずに、同じ取引先を使い続けていた。

よいものを安く仕入れ、それに価値をつけて売るのがビジネスの基本である。その結果、お客様によりよい価値を提供できるのに、それを怠っていたのである。安定的な取引にも互いに緊張感が必要だった。

特定の取引先から大量に仕入れ、安く買うことができれば荻野屋が強くなる一方で、取引先の会社も大量な安定供給先があれば、安心して会社経営できることにつながる。だからこそ、互いがよりよい品質を目指して切磋琢磨することもでき、ウィン－ウィンの関係が築けるはずである。だが現実は、よりよいものがより安く仕入れられる仕組みなのに、わざわざ高い商品を買っていたのである。

幸いにも、お客様が荻野屋から離れていくという事態には至らず、荻野屋への信頼はかろうじて保たれてはいた。だが社内にある旧弊を速やかに改めないと、荻野屋の屋台骨は揺らいでしまう。

私は、荻野屋のすべての業務を停滞させている原因は釜めしにあるのではないか、としだいに考えるようになっていった。釜めしに関わる仕入れから製造、販売、そして会社のビジネス全体の在り方に至るまでのすべての一連の業務、考え方を変えなければ、会社は変わっていかない――。そのような思いを強くした。

「峠の釜めし」は聖域ではない、という問いかけは荻野屋を根本から揺さぶり、大半の経営幹部、社員らに衝撃を与えた。だが、始めたからにはもう歩みを止めるわけにはいかなかった。

第5章

「進化の芽」を育てる

——新生荻野屋へ歩みはじめる

父・忠顕が生前、荻野屋の次なる展開へ向けて、準備していた店舗があった。1997年（平成9年）10月1日の長野新幹線（北陸新幹線が2015年〈平成27年〉に金沢まで開通し、長野新幹線の呼称はなくなる）開通に伴い、軽井沢駅の廃止される鉄道の跡地に商業施設を建設する計画があった。その一角に位置する旧軽井沢駅ホームに荻野屋のテナントを出店しようとしていた。この計画を私は引き継いだ。

この出店を契機として、荻野屋の食に対する意識を変えるとともに、従業員の原価意識を高めて、こだわりのある食づくりができるような体制に変えようとした。そして長い間に築かれてきた「釜めし神話」ともいえる、釜めしだけに頼る経営体制を変えたかった。旧軽井沢駅への出店は、新商品や新業態の開発に取り組むためのよい機会だと捉えていた。

この店舗は釜めしも扱うが、いわゆる「二八そば」を中心とする荻野屋の新業態を目指していた。専門のそば職人を起用し、一般的な駅そばとは違う本格的なそばや創作そばを提供する。信州の地酒や一品料理も出す。店舗の外観や内装はそば屋というよりはカフェに近い実験的な店舗だった。

残念ながら、その後に予定されていた商業施設の開発が進まず、開店から数年後に閉店することになったが、この店舗での取り組みが荻野屋の在り方を徐々に変えていく芽に育った。

これまでの荻野屋の商売のやり方には疑問があった。荻野屋の店にお越しになる多くのお客様には釜めしだけでなく、お土産品も多く買っていただいているのに、そのお土産品には荻野屋が自社開発した商品が少なかった。他社から仕入れた利益率の低い商品を売るよりも自社開発の利益率の高い商品を売ったほうが、ビジネスとしてうま味があるはず。自社店舗であれば、新しい商品を開発すれば、すぐにでも店頭に並べられる。売れなければ、その原因を考えながら改善策を練ればよい。自社開発をするにも、自社店舗を持っているのは都合がよいはずである。私は、何としても自社開発の土産品をつくりたかった。

ドライブイン各店には、それまで自社製造の土産品として、和菓子をベースにしたものがあった。私は釜めしに次ぐ商品開発を実現するために、新たに洋菓子である冷凍チーズケーキの開発を考えた。「和」の枠を飛び出そうとした。冷凍チーズケーキにしたのは、保存が利くので商品ロスが少ないと見たからだ。荻野屋のイメージとチーズケーキのイメージとはまったく重ならないので、新しいブランドを立ち上げた。その後、知人からフランス人パティシエを紹介され、彼に教えを請いながらチョコレートケーキの一種である「オペラ」を開発し、販売にこぎつけた。

こうした取り組みは、荻野屋のビジネスとは脈絡がないように見えるだろう。だが、ドライブインで提供する土産品のラインナップを広げることができる。さらには、別業態として荻野屋からスピンオフすることも視野にあったのである。

ドライブインをリニューアル

次に私が取り組んだのが、モータリゼーションの到来とともに１９６２年（昭和37年）にオープンし、１９７８年（昭和53年）に新築オープンした「おぎのやドライブイン横川店」の改装だった。１９８５年（昭和60年）に増築・全面改装し、１９９５年（平成７年）の釜めし製造工場の建設の際にも手を加えたが、古ぼけたドライブインになっていた。

建物の躯体はほぼ問題はなく、内装のリニューアルが中心だった。外装がレンガづくりだったので、内装もレンガづくりを基調にし、横川の鉄道遺産群の雰囲気を醸し出すためにレトロ調に変えた。

ドライブの途中に美味しいコーヒーを召し上がっていただけるように、実験的にコーヒーショップも設置した。フードコートのリニューアルでは、群馬県の食材をふんだん

改装したおぎのやドライブイン横川店。2006年（平成18年）

に使った地産地消を打ち出し、横川店独自のメニューを提供した。また、旧軽井沢駅への出店で学んだことを生かしながら、スイーツや物販の各ショップにはブランド名をつけて専門性をアピールした。

荻野屋にとってドライブイン経営の原点だった横川店は、２００６年（平成18年）3月にリニューアルオープンした。そして私は、ここでの取り組みを横展開していった。まず取りかかったのは、上信越自動車道横川ＳＡ（上り線）にテナントとして運営していた店である。

忠顕の時代に、横川ＳＡの運営を日本道路公団から任されたのが１９９３年（平成5年）。それから15年近くが経過していた。

施設の老朽化が見えはじめ、オープン時に比べると、お客様の嗜好も大きく変化していた。

何より日本道路公団が2005年（平成17年）に民営化され、地域ごとに高速道路の運営組織が分割された。道路公団時代は全国のサービスエリアが一つの基準で運営されていたが、民営化後は独自性を発揮する方向へ転換した。荻野屋が運営委託されていた横川SAは、東日本高速道路株式会社（NEXCO東日本）の子会社であるネクセリア東日本株式会社の管轄下となった。

改修事業に着手したのは、2008年（平成20年）。ちょうど荻野屋が「峠の釜めし」を売り出してから50周年を迎えた年だった。50周年事業の一環として改修事業に取り組んだのである。

ネクセリア東日本は民営化に際して、サービスエリア全体のサービス水準の向上を図る「礎づくり」と、地域特性に応じて個性的なサービスを展開する「華づくり」という方針を立てていた。道路公団時代とは異なり、地域特性を生かしたサービスエリアづくりも求められるようになっていた。さまざまな実験的な取り組みを実施したいと考えていた荻野屋にとっては、願ってもないことだった。

荻野屋と内装を請け負う業者は一体となり、ネクセリア東日本の方針にある「華づくり」

をどのように実現するかを考えた。横川ＳＡの外観は、もともと旧中山道の茶屋本陣をイメージした和風づくりの店舗であったため、内装も和風を基調としたコンセプトが採用された。また、横川周辺の山々に囲まれた風景の中に溶け込むように自然との調和を重視するデザインを採用した。

ドライブインに鉄道遺構を展示

だが、「華づくり」にはまだ何かが足りなかった。横川ならではの特徴とは何か。横川は、昔からの交通の要所であった碓氷峠の麓に位置し、鉄道が開通してからはアプト式機関車の連結場所としての役割を演じた。その横川駅も新幹線の開業とともに横川―軽井沢間が廃線となり、終着駅になっていた。横川は古くからの街道や鉄路の「遺構」が詰まった土地なのである。ならば、サービスエリア内にかつての横川駅の情景を再現できないかという案が浮上した。高速道路に駅を再現するというユニークな発想だった。かつて碓氷峠を走っていたものと同系の本物の鉄道車両を購入し、店内に展示することが決まった。

サービス向上の「礎づくり」としては、お客様の利便性向上を図るために店舗全体のレ

本物の車体キハ57－26（キハ58－624）

イアウトを見直した。お客様が施設全体を回遊しやすくするとともに、大規模なフードコートをつくることを計画した。

　改修前は、ファミリーレストランとそばを主体に提供する和食レストランに加え、手軽なフードコートがあった。どちらかといえば、レストランでの食事が中心だった。かつてはドライブの途中のレストランで、家族みんなでゆっくりと食事をとるお客様が多かったためだが、時代の変化とともにサービスエリアではむしろ手軽に食事を済ませたいという傾向が強くなっていた。

　その理由として、大規模小売店舗法（大店法）が２０００年（平成12年）に廃止されたことが、消費者の嗜好を変えたと思われる。大店法廃止で、広大な駐車場を持った大型のショッピングセンターが増えた。ショッピングセンターには多様な店舗が出店し、多様なお客様のニーズに応えようとした。もちろん食事についてもさまざまなレストランが軒を並べたが、たいていのショッピングセンターには大規模なフードコートが設置された。セルフサービス型かつファストフード的に家族で食事をするスタイルが広まっていったのである。

横川SAの改修では、2か所のレストランを1か所に集約し、より専門性の高いメニューに変えるとともに、フードコートのスペースを大幅に増やした。レストランとフードコートのメニューは大きく差別化された。

レストランは信州の名物であるそばを中心にし、価格帯も従来のレストランよりも高く設定した。ゆっくりと食事をしたいというお客様をターゲットにしたのである。メニューは、軽井沢駅でオープンしたそば屋の二八そばのものを踏襲した。一方でフードコートは、従来のサービスエリアで提供されているようなそば、うどん、ラーメン類や、ご飯ものを提供するが、横川SAにしかないメニューにもこだわった。

また、土産品売り場の面積を1・5倍に増やし、手狭であったお客様の買い物スペースを広げ、自社開発・製造のお土産品を取り揃えた。地域ならではの上州豚焼きそばなど、手軽なファストフードコーナーも拡張したり、ベーカリーコーナーを新設したりした。

リニューアルオープンは、２００９年（平成21年）３月だった。お客様がお喜びになったのは、電車車両の展示である。展示車両の中では食事もできた。高速道路のサービスエリアにいながら、電車の中で釜めしを食べられるということで大きな話題となった。

リニューアルした横川ＳＡは「ドラマチックエリア」と名づけられた。この呼称は、民営化したＮＥＸＣＯ東日本が地域特性を生かした「ドラマ」を提供する場所として使いはじめたもので、横川が第一号だった。このサービスエリア改革に、荻野屋は大いに貢献できたと思う。

「峠の釜めし」に頼る経営から脱却を

積極的に新しいことに挑戦したのは、荻野屋の経営が釜めしに頼り過ぎたことに問題があると考えていたからだ。釜めしに頼る経営が、管理体制の甘さや危機意識の希薄化を招いていた。新たな商品や業態を開発するには、荻野屋の経営資源を吟味し、そこから新しいニーズに応えるビジネスをどうデザインするか考えねばならない。そのプロセスでの試行錯誤は荻野屋の明日の糧になるはずだと信じていた。

同時に新しい取り組みを行うことは、私自身のモチベーションを高めるだけでなく、従業員にも変わっていく荻野屋の姿を示すことで、仕事への参加意欲を掻き立てられるに違いないと考えていた。

ちょうどそのころは、前年の2008年（平成20年）秋のリーマン・ショックによる金融市場の混乱が続いていた。荻野屋自体は金融商品などに投資していなかったので、直接的なダメージはなかったものの、会社を取り巻く外部環境は悪化しつつあった。金融機関の融資姿勢は徐々に厳しくなっていた。それは、荻野屋の財務にもボディブローのように効いてくる恐れがあった。

しかし私は、新しい取り組みをすることこそが荻野屋の未来をつくることだと信じ、新しい挑戦をさらに加速させようとしていた。二八そばやスイーツ店など独自開発した業態をスピンオフさせて、路面店や大型ショッピングセンターなどへの出店を検討した。釜めしに次ぐ第二の柱に育てることが目的だった。

荻野屋が手がけているフードコートやレストランサービスを見ると、十分独り立ちできると判断していた。ドライブインなどの繁忙期である夏のオペレーションでは、殺到する

スイーツ・ブランド「ドルチェ・エスタシオン」

お客様にも満足してもらえるサービスを提供できていた。その運営ノウハウがあれば、どんな業態の店舗でも十分、採算が取れるビジネスになると考えていた。

忠顕の時代にも、釜めしをメインとしない業態はいくつか試されたが、すべて失敗に終わっている。それは「荻野屋」という看板が前面に出て、お客様からは釜めしを期待されるなど、店舗のコンセプトが中途半端だったからである。今回は、新しい業態を確立するために「荻野屋」を連想させない別ブランドをつくり、店舗展開を進めようとした。

こうした考え方は、ドライブインの横川店や横川ＳＡのリニューアル時にも採用され、スイーツの「ドルチェ・エスタシオン」や、そば料理の「燈歌」というブランドがつくられた。だが、それまでは荻野屋が運営するドライブイン内での営業だったが、今後は新ブランドの単独出店に挑戦するというものだった。

私は、新しい業態開発を首都圏で展開できないかと具体的な検討に入った。なぜ、新業態開発に躍起になっていたのか。荻野屋を変えなければいけないという思いだけではなかった。当時のドライブインを取り巻く状況は観光客の落ち込みが顕著になりはじめ、新たなビジネスの柱が欲しいと、ひたすら願ったからだ。

荻野屋のこれまでのビジネスは、観光産業の伸びに支えられてきた部分が大きい。ところが、今後、日本の人口は縮小していく。新しい業態の開発はもちろん必要だが、やはり海外の需要を取りにいくことも必要なのではないかと考えていたのである。

海外進出への挑戦

大きな中国市場の存在に、私はとても魅力を感じていた。しかし、いきなり中国に乗り込んで失敗した日本企業の例は数多い。私は中国進出の前に、親日国でもある台湾に出店し、そこを拠点に中国本土へ進出したほうが得策ではないかと考えた。香港で大成功を収めた熊本の味千ラーメンが、中国へ進出し大成功を収めていたことも私を本気にさせた。さまざまな人脈を頼りに、台湾との接点を探った。

縁を求めて走り回ると、チャンスは舞い込むものである。台湾の統一グループ（統一企業股份有限公司）から、台湾の高雄市にある大型複合商業施設・統一夢時代（通称ドリームモール）で、釜めしのイベント販売をしないかという話が持ち込まれた。

台湾の統一グループは、政府系の財閥系グループである。鉄道だけでなく、ホテルや大型ショッピング施設を持ち、セブン-イレブン、阪急百貨店、スターバックスコーヒーなどと提携し、台湾全土に展開している。その統一グループの中でもずば抜けて大きい高雄のドリームモールで、2011年（平成23年）の春節の期間中、期間限定で「峠の釜めし」を販売することになった。

当時、このドリームモールの総面積は台湾最大だった。アジアでも6番目、世界でも11番目の広さで、来場者数も毎年2000万人規模を誇った。春節の期間は、ドリームモールでも一年でいちばんの繁忙時期である。荻野屋の製造工場から6名を派遣し、ドリームモールからは現地のアルバイト10名がサポートしてくれることになった。私の期待は高まった。

過去のカリフォルニアでの駅弁大会と同様に、食材等は原則として現地調達とした。カリフォルニアに比べ、食材調達はスムーズに進んだ。台湾は日本との距離も近く、野菜なども新鮮なものが入手できる。鶏肉も市場から朝締めのフレッシュな肉が届き、日本と同等の高品質な肉が手に入った。現地食材でつくった釜めしを試作したときも、統一グループの担当者から「とても美味しい」と高い評価をいただいた。

ドリームモールの社長の話では、「日本で有名な商品は、台湾人に受けがいい。食べた後、容器を持ち帰れるのも付加価値となる。熱々で提供できれば、間違いなく売れる」と太鼓判を押してもらった。アジア人の多くは、冷めたものを食べたくないと思っていることはわかっていた。本来であれば、注文を受けて厨房で料理し、提供するスタイルを取りたかったが、調理スペースがなく、あらかじめつくった釜めしを電子レンジで温めて提供することにした。

ここで販売してうまくいけば、台北での出店や台湾での展開も視野に入ってくる。ドリームモールの社長の話などを聞く限りでは、失敗する確率は低いと判断した。輸送コストなど、すべてのコストを回収し利益を上げるため、かなり強気の売上げ計画を立てた。

満を持して臨むことになったイベントだった。

失敗に終わった台湾出店

しかし期待とは裏腹に、結果は大失敗に終わる。計画の20％に過ぎない売上げだった。台湾への出店は、考えてみればすべてが初めてのケースであった。カリフォルニアに出展したときのように多数の業者が参加する「日本フェア」ではなく、単独出店だった。それなのにポジティブなことばかりに目を向けて、ネガティブな要素を考慮することは明らかに少なかった。

台北の統一グループの施設で日本食が受け入れられている成功事例ばかりを見て、カリフォルニアのときよりも安易に考えすぎていた。むしろカリフォルニアのお客様は現地に駐在している日本人の方がほとんどで、荻野屋の釜めしを知っている人が多かった。実は、アメリカ人をターゲットにした販売ではなかった。ところが台湾では、台湾の方々がターゲットだった。カリフォルニアよりも、むしろもっと慎重に市場分析すべきだったのである。

なぜ、台湾のお客様に受けなかったのだろうか。アンケート調査等を実施したわけではないので想像の域を出ないが、いくつか思い当たる節はあった。

店頭でお客様の様子を見ていると、興味を示すものの、買うまでには至らないことが多かった。商業施設に訪れるお客様の多くは、迷わず目当ての店に直行しているようだった。よほどの魅力がない限り、振り向いてはくれない。また、他のフードコートの店は目の前のオープンキッチンで調理していたが、釜めしは完成品を電子レンジで温めて提供していた。それでは、美味しそうには見えなかったに違いない。

そもそも台湾の人たちは、「弁当」という形に価値を感じなかったようだった。また、釜めしの中身も魅力的に映らなかったのかもしれない。中身を見て、「粗食」と思ったのではないだろうか。釜めしは、一見して野菜類が多い。賑わっているのは、鶏一羽を丸ごとローストしている店や牛肉を鉄板で焼いている店であった。ボリュームたっぷりの店が好まれていたのである。

日本食ブームや健康志向といった一般的な傾向を考え、受けるはずと見ていた。現地の人の味覚や好みに関して調査不足だったといえる。この挑戦は、売上げ実績から見れば、まったく振るわず、大きなマイナスだった。

しかし、いずれ海外展開しようとしていた荻野屋にとって、いいブレーキとなった。国内では実績があっても海外で必ずしも通用するわけではないし、日本食ブームだからといって、すべての日本の食べ物が売れるわけでもない。そんな当たり前のことをゼロから常に考えて、事業戦略を構築することの大切さを改めて痛感した。前のめりで進めている話ほどポジティブな面ばかりを見てしまい、ネガティブな面について軽く見たり、見過ごしてしまう。高い授業料だったが、いい勉強になった。

東日本大震災の衝撃

ほろ苦い結果に終わった台湾出店からひと月あまり、日本に大きな衝撃が走った。2011年(平成23年)3月11日、東日本大震災が発生した。荻野屋の経営にも大きな衝撃を与えたのである。

店舗の物理的な実害は小さかったものの、その後の売上げの根幹をなすツアーなどのキャンセルが相次ぐことになる。春の繁忙期であるお花見シーズンは、荻野屋にとって収益源の一つである。それが消えてしまった。

現在進行中の新型コロナウイルスの感染拡大を別にすれば、東日本大震災の衝撃は、戦後の災害史の中では最大のものだった。私は、とても強い危機感を抱いた。

ツアーがキャンセルになっただけではない。政府による計画停電の実施で製造工場も影響を受け、冷蔵冷凍設備が一時使えなくなるという問題も生じた。群馬県は東京電力管内で計画停電や節電を実施していたが、碓氷峠を越えて長野県に入ると街は明るく照らされていた。長野県は地震の影響が少なかった中部電力管内だったからである。リスク分散の重要性について改めて考えざるを得なかった。

入社以来、社長は母・恭子であったが、私が実質的な会社のトップとして活動していた。だが、この震災を機に自分自身が名実ともに荻野屋の代表に就くことを決意し、震災後に社長に就任した。２０１２年（平成24年）４月のことである。荻野屋に入社したころから財務状況は悪かったが、震災の影響でさらに悪化が予想された。自分自身が対外的に矢面に立ち、徹底的に立て直さなければ、今度こそ荻野屋が危機的な状況に陥る――直感的に、会社の体制そのものをさらに見直す必要性を感じたのである。

このころの荻野屋は、ある意味で負のスパイラルの中にあった。

東日本大震災の前から、荻野屋を巡る外部環境は悪化していた。バス旅行の減少が目立つようになっていた。私の入社時からバス旅行は減少の一途をたどっていたが、その傾向はさらに加速していた。だからこそドライブイン事業だけでなく、新たな柱となるビジネスモデルを構築しなければと、新業態の開発に力を注いでいたのである。

危機下で「群馬の台所」出店

そんなとき、高崎駅のリニューアルに伴い、JR東日本グループの高崎ターミナルビル株式会社からコンコースに出店しないかと打診をいただいた。JR東日本グループ側からの提案は、駅の中で釜めしの製造販売をしてほしいというものだった。群馬の玄関口である高崎駅への出店である。荻野屋の現状は厳しいことはわかっていたが、何とか実現させたいプロジェクトだった。

当初の案は、メインコンコースを通って東口の出口近くに出店するという話だったが、最終的に提案された場所は、高崎駅の東口と西口をつなぐ連絡通路にある飲食店の跡地であった。正面のメインのコンコースの裏側であり、人通りが少ない場所であった。

出店依頼をいただいたことはうれしかったものの、内心は不安でいっぱいだった。芳しい結果が出ていない新しい業態も抱えていたので、できるだけリスクの低い条件で出店できないものかと思案していた。しかも、裏通りといってもいい場所に出店するのは、簡単なことではない。

まして東日本大震災以降、社会の自粛傾向は続いていた。新規出店の営業リスク、荻野屋の財務状況の悪化、将来へのリスクなどを勘案すると、出店を見送らざるを得ない状況にあるのは明白であった。とても残念だったが、いったんは出店をお断りした。

だが、JR東日本高崎支社と高崎ターミナルビルからは、お断りした後も出店を要請され、最後にはその熱意にほだされた。ありがたいことに、金融機関からのバックアップもいただいた。条件面の緩和が行われ、何とか出店することを決断した。一時は諦めたプロジェクトだったが、私は挑戦するチャンスを与えられたことがありがたかった。

JR東日本からの提案は、高崎駅でつくりたての釜めしを出してほしい、というものである。だが、それだけではいままでの釜めし店と変わりがない。私は、ドライブインや旧軽井沢駅などに出店してきた新業態のレストランをベースに考え、さらに進化させることを模索した。

これまでのレストランは、主に食事だけを提供してきた。高崎駅構内での営業となると、

峠の釜めし本舗おぎのや　群馬の台所。2011年（平成23年）オープン

終電近くまで人の往来がある。アルコール類の提供を前提に考えた業態をつくる必要があった。看板商品は釜めしだが、この店では釜めしだけではなく、群馬県産の食材を使った料理を楽しんでもらいたかった。そのため、釜めしは通常サイズよりご飯の量を減らし、ひと回り小さくした。釜めしを小ぶりにしたのは初めてだった。

群馬県は豊富な農作物以外にも、畜産物の品質も高い。まさに美味しいものの宝庫である。水沢うどんをはじめ、おっきりこみ、上州うどん、ひもかわうどんなど、さまざまなうどんのある県でもある。荻野屋の看板商品である釜めしと群馬の食材を使った一品料理が提供できれば、高崎駅という群馬の玄関口で県のアピールにもつながる。店の名前は「峠の釜めし本舗おぎのや群馬の台所」。オープンは、2011年（平成23年）7月だった。

「群馬の台所」は、順調なスタートを切った。乗降客数の多い高崎駅でお店を構えられたことは、荻野屋の知名度を上げた。また荻野屋にとって、釜めし以外の料理も知っていただけるよいきっかけにもなった。

昼の時間帯は、釜めしと一品料理の定食やうどんを提供し、夜は、群馬の食材を中心とした一品料理と群馬の地酒を揃えた居酒屋スタイルの店である。手探りで始めた業態であったが、観光や出張でいらした県外のお客様と、周辺企業のお客様が利用していただけるユニークな存在になった。荻野屋を取り巻く環境は依然として厳しかったが、新しい業態である「群馬の台所」は、順調なスタートが切れたのである。

強まる逆風

新業態への挑戦は続けていたが、残念ながら屋台骨を支えるまでにはまだ育ってはいない。金融機関からの風当たりが強くなりはじめていた時期でもあった。そんな時期に、荻野屋に追い討ちをかける大事故が起きた。

２０１２年（平成24年）４月29日、関越自動車道で起きた高速バス居眠り運転事故である。関越自動車道の藤岡ジャンクション付近で、ツアーバスが防音壁に衝突し乗客７人が死亡、乗客乗員39人が重軽傷を負うという悲惨な事故だった。

ツアーバスの増加は、政府の規制緩和の賜物だった。２００２年（平成14年）に道路運送法改正が施行され、ツアーバス事業への参入はそれまでの免許制から要件チェックによる許可制となり、運賃制度も事業者が自由に設定することが可能となっていた。その結果、年々新規参入業者が増加し、バス事業者の過当競争の激化を招き、コスト削減のために安全対策が疎かになっているという指摘を受けていた。関越自動車道での事故も運転手が一人しか乗っておらず、安全対策上の不備が原因だった。

これを機に、高速バスツアーに対する規制が強化されることになる。長距離バスツアーはドライバーの２名体制が必須となり、コスト増を招いた。そのため、低価格の高速バスツアーが実質的に難しくなり、ツアー自体が減少した。その影響から、荻野屋のドライブイン事業の収益も悪化しはじめていた。

以降、外部環境は急速に悪化していく。荻野屋がこれまで取り組んできた新しい取り組みは一層必要になっていった。業績悪化が予想されるのに、手をこまねいているわけにはいかない。台湾出店のような失敗もあったが、失敗を恐れて挑戦をやめるわけにはいかないと腹を固めていた。しかし新事業はなかなか芽が出ず、育っていかない状況に、私は内心焦りを覚えていた。

どうする？　重くて捨てられない釜容器

厳しい環境の下、釜めしに関するもう一つのプロジェクトが進んでいた。従来の陶器の釜めしの器に加え、新たな容器を開発するというプロジェクトである。「峠の釜めし」は、益子焼の器を売り物にしていた。四代目社長の祖母・みねじが気に入った器である。しかし益子焼の器も、時代とともに改善が求められていた。

釜容器に関しては、私の入社前から陶器の代替となる器の開発が検討されていた。陶器製の釜容器は、自宅に持ち帰ることができる。一部のお客様にとっては、いつまでも「旅の思い出」に浸れる小道具であり、付加価値にもなった。だが、釜容器は重く、捨てにくいという欠点も持ち合わせていた。

イベント出展などの際にも、お客様から「持ち帰るには重いからいらない」「釜容器は家にあるから、中身だけ欲しい」といった声が多く集まっていた。

また、バス旅行のお客様用に釜めしを積み込み弁当として旅行会社に提案しても、問題があった。その問題の理由は、釜容器が捨てにくいということだった。お客様が召し上がった後、バスの車内に釜容器をそのまま置いて帰ることがあるが、通常のゴミのようには捨てられない。産業廃棄物として処理しなければならず、面倒だというのである。

この問題は長い間、荻野屋にとって懸案事項だった。代替となる容器開発に向けて、プラスチック製の容器など、いろいろと試してみたが、陶器のような器の美しさが表現できず、新しい素材の採用は断念していた。対策が必要なバス旅行の積み込み弁当に限定して、紙製容器に入れて釜めしを販売したこともあったが、あくまでも一時的に採用したにすぎなかった。

長い間、社内でさまざまな検討をしてはいたが、「釜めしは、やはり益子焼でないと価値が下がる」という現状維持派が多く、新しい容器の採用には反対の意見が根強かった。だが私は、釜めしはお客様の声をもとにして生まれた商品であるにもかかわらず、お客様の声に応えないという姿勢は傲慢以外の何ものでもない、という思いを募らせていた。

荻野屋は、東日本大震災が起きる前から東京に事務所を設け、新しい事業のための情報収集を進めていた。このことは、後の章で詳述する。この事務所を拠点に、私は東京で人脈を広げたり、事業のネタ探しをしたりしていた。

そんな折、釜めしを航空機内で食べる「空弁」にできないかという話を持ちかけられた。2012年（平成24年）のことである。羽田空港で販売する空弁を製造している日本エアポートデリカ株式会社から、「新しくつくる弁当のラインナップに釜めしを入れたいので、協力してほしい」との依頼だった。食品製造会社との協業という新しい取り組みであり、空港という、初めての場所での販売である。ぜひとも、取り組んでみたいプロジェクトだった。

空弁は機内で食べるだけではなく、到着後に持ち帰って食べることを想定してつくる必要があるという。それだけ消費期限を長くしなければならず、味つけなどを工夫するのだが、いちばんの問題は容器だった。これまでどおりの陶製の容器では、やはり持ち運ぶのに重く、バスと同じくゴミの問題が発生する。しかも陶器を機内に持ち込むと、凶器になりかねない。荻野屋の看板商品である釜めしを何としても空弁にしたいが、そのためには新しい容器をつくることが不可欠であった。これまで何度も挑戦してきた課題だが、今度は空弁という明確な目標がある。私は、これまで以上に闘志が湧いた。

空弁の容器のことばかりを考えていると、以前ふと見て、気に入った紙皿のことを思い出した。「あれだ！」。新しいアイデアは、ひょんなところから生まれるものである。

その紙皿との出合いは、こんな風だった。

友人へのプレゼントを購入するために、都内の高級インテリアショップに行ったときのことである。普段から時間があるとインテリアショップなどに入り、インテリア雑貨を見るのが好きだった。そのときも、使い捨ての紙皿といえないような高価な値段で売られている紙皿が目に留まった。紙粘土のような材質で和紙のような質感があり、通常の紙皿と違い、美しくデザインされていた。

WASARAと共同開発した容器がグッドデザイン賞受賞

それが、WASARAだった。ボウル状の容器や四角い皿の角が反り返ったものもある。美しさと高級感を醸し出し、見事に滑らかなカーブを表現していた。もしかしたら、この会社であれば、自分が思い描く新しい釜容器の開発ができるかもしれないと初めて見たときから思ってはいた。しかし、「開発には多額のコストもかかるだろうし、釜の代替容器もバスの積み込みで一時的に使われるものなので数は多くない。オリジナル開発では在庫リスクも高くなる。いつか、このような質感の容器の釜が開発できたらいいなあ」としか思わなかった。

そんなWASARAとの出合いは、高崎駅への出店などで忙殺される日々の中で記憶の奥底に追いやられていた。ところが空弁の容器について考えていたときに、ふとWASARAのことを思い出したのである。

日本エアポートデリカからは、荻野屋監修の新しい弁当を製造・販売するにあたり、その販売計画も提示していただいた。荻野屋としては、販売計画が明確であれば、容器の在庫リスクも大幅に軽減できる。容器開発に投資もできる。

株式会社WASARAにOEMを受けてもらえるかわからなかったが、打診したところ、何とか条件面で収まりそうだとなり、共同で釜容器の開発に取り組んだ。空弁の開発構想のスタートから、容器の開発、製造、販売まで非常にスムーズに進み、わずか一年足らずで販売にこぎつけることができた。

容器自体のコンセプトは固まっていたものの、パルプモールドならではの課題もあり、

WASARAと共同開発した容器

従来の釜と同じ形にはできなかった。だが、私が最も重視したかった器としての形状の美しさと大きさや形、側面の滑らかなカーブなど、満足するものができた。大量生産の前にモックアップ（実物大の模型）を制作し、実際に手に持って形を確認できたおかげだった。

コストをかけてでも最初にプロトタイプをつくる重要性について、後に大学院での「システム×デザイン思考」でも学んだが、構想の段階で仕様などの細かいところまでを検証しておくことが、最終的にコストアップを防ぐことにつながることや、二次元での確認ではなく、実際に立体の制作物をつくり、目で見て手で触ることで実際の制作への修正点や気づきが得られることなど、ＷＡＳＡＲＡとともにモックアップを制作した当時のことを思い出したものだ。

無事に空弁の釜めしは、２０１３年（平成25年）3月20日に「大空の釜めし」として羽田空港を飛び立った。しかもこのパルプモールドの容器は、２０１３年度グッドデザイン賞を受賞した。材料は、環境に優しいサトウキビの搾りかすなどを利用していた。荻野屋にとって、予想もしなかったグッドデザイン賞の受賞であった。

２００８年のリーマン・ショック、２０１１年の東日本大震災が起きたにもかかわらず、荻野屋は新しい取り組みに挑戦し続けた。もちろん多くの失敗も重ねたが、挑戦することで荻野屋の経営風土は変わるはずだと信じていた。

すべてが思いどおりに事が運んだわけではないが、荻野屋が変わりはじめているという実感が私にはあった。しかし荻野屋を取り巻く経済環境は厳しさを増し、金融機関からの風当たりは強くなっていた。

第6章

負の遺産を清算

――持続的成長へのハードル

東日本大震災後の荻野屋の業績は振るわなかった。資金繰りも徐々に厳しくなっていたのは確かであるが、従業員への給料の支払いや借入金の返済に困るという状況ではなかった。厳しい状況下で、荻野屋は踏ん張っていた。ところが、金融機関から早急に財務体質の改善に努めるよう求められ、改善ができなければ、これ以上の資金援助はできないと告げられた。

なぜ急に、金融機関の対応が変わったのか。私には当初、理解できないことだった。震災の影響で、売上げは減少していた。それは、観光旅行のキャンセルが増えたことなどの外部環境の変化が原因だった。営業地盤の群馬県や長野県は直接的な震災被害が少なかったので、外部環境の悪化は一時的なものだと判断していた。荻野屋は確かに厳しい環境にはあるが、事業継続には問題ないという認識だった。

入社時に荻野屋の財務諸表を見て借入金の多さに驚愕した私は、借入金の返済を優先的に進めていた。荻野屋の売上げは現金がメインであり、売掛債権はあるものの確実に回収はできていた。常に現金があるおかげで、仕入れ先への支払いや従業員の給料の支払いに支障はなかった。借入金の額は依然として大きかったが、金利とともに少しずつ返済できていたのである。

それにもかかわらず、突然の経営改善計画づくりの厳しい通告である。私の判断とはまったく真逆の見方を金融機関がしていたことに言葉を失った。

「財務体質を改善せよ」金融機関が突然、通告

金融機関から指摘されたのは「財務体質を改善せよ」という点ではあったが、よくよく聞いてみると、金融機関が問題としていたのは、私が進めてきた経営改革の内容と収益改善への貢献度が不透明であり、これを改善せよというものだった。そのうえで、借入金の返済や荻野屋が関連会社などに貸し付けている長期貸付金の解消の目途を明確にするよう求めていた。

金融機関から経営改革などの内容が「不透明だ」と指摘された点については、後から考えてみると思い当たる節はあった。厳しい環境の中で経営改革として、荻野屋はドライブインの改装や海外進出、スイーツ店や二八そばといった新業態開発などに取り組んできた。私にとっては「荻野屋の経営体質の強化のための施策である」という気持ちが強かった。また、財務体質強化のための不動産投資や、福利厚生のための保険商品への投資につ

いては、金融機関からはそれまで具体的な指摘を受けたことはなく、金融機関も理解してくれていると考えていた。そのため多額のキャッシュアウト（資金流出）がない限り、金融機関に詳しく説明することはあまりなかった。そうした私の説明不足の行動が、金融機関にとっては「不透明だ」と映ったのかもしれなかった。

また、金融機関が問題にした借入金の多さや荻野屋が関連会社などに貸している長期貸付金については忠顕の時代から問題ではあったが、私が経営に携わったことにも一因があった。私は、父・忠顕の急逝で荻野屋に入社し、荻野屋の株式を相続した。その際に多額の相続税を払わざるを得なかった。そのことが、荻野屋のバランスシートを悪化させていたのである。

少し説明が必要だろう。

荻野屋は、未上場の同族会社である。大半の株式を高見澤家、つまり忠顕と母・恭子が保有していた。私は、忠顕が持っていた株式を相続した。その際の相続税は、株式の時価評価額から算出される。未上場株の時価評価額は、同じ業種の上場企業の株価を参考にしたり、会社の純資産価額から算出したりする。いずれにしても会社の業績やバランスシートがよければ時価評価額を押し上げるので、相続税は増える。表面的には高収益でバランスシートも健全だった荻野屋本体の株式を相続した私には、多額の相続税が課されたのである。

上場企業の株式のように市場で売却できるならば売却益で相続税を払えるが、未上場株の場合は流動性が乏しい。第三者に売るにしても時価評価額で買ってくれるとは限らず、相続税を払えない事態に陥りかねない。創業家として、会社を受け継いだ身としてはそう簡単には第三者に売るわけにもいかない。

私の場合は、荻野屋が金融機関から借り入れたお金を個人の立場で借りて、何とか相続税を払うことができた。そのため会社に対して多額の借金が残ることになり、バランスシートでは長期貸付金として計上されたのである。

日本で未上場株を相続する際に多額の相続税を払いたくなければ、会社の時価評価額を下げるため、あえて業績やバランスシートを悪くするという本末転倒な経営になってしまうのである。荻野屋の場合は、業績が見かけ上よかったので、多額の相続税を払い、結果的に財務状況が悪化してしまった。

そのため、私は経営の舵取りを始めると、財務体質の強化に努めた。できるだけキャッシュアウトを避けるため、さまざまな手を打った。その際に、昔から財務を担当していた財務部長は会社の財務体質改善へ向けて何をしていいか理解しておらず、専門知識を習得するなどの積極的な姿勢に欠け、業務改善へ向けての危機意識の低さもあり、降りてもらった。その後は、社外の専門家らの意見を聞きながら、私が独自に財務体質強化に取り組んだ。そうしたことも金融機関の不信感を招いた一因だったとすれば、私の不徳の致すところである。

私が荻野屋の社長に就任して以来、財務状況の悪さを認識し、財務体質の強化に向けて取り組んだとはいえ、十分だったとはいえなかった。私が知る限りでは、資金繰りに窮することはなかったので、日々の業務の中で財務戦略について多くの時間を割いたわけではない。その間も、何とか会社の資金は回っており、荻野屋が抱える財務上の本質的な問題に迫る努力は不十分だった。

荻野屋の事業は、現金商売がメインであり、債権回収率も悪くない。そのため、日々の資金繰りに苦しむことはない。あとは、金融機関への金利の支払いと約定返済を行えば十分だと私は考えていた。実際、金融機関からは荻野屋の資金繰りを含めた財務状況に関しての問題点を指摘されたことは、過去に一度もなかった。

私は総額でいくら借りているかの金額は把握していたし、平均した約定金利は理解していたが、取引金融機関ごとの細かいところまでは把握していなかった。当時の財務部長からも細かい報告は一切なかった。ところが、資金繰り計画表も作成しておらず、実際はいくつもの設定された借入金の借り換えを常に行いながら、返せるところから少しずつ返済しているに過ぎなかった。最終的な貸借対照表上の借入金の数字が減少していることだけしか注視しておらず、財務の実務について知らなかったとはいえ、それに満足していた。入社以来、少しずつ借入金は減らしているという認識が驕りを招き、細かい内容まで点検していなかった。先代の時代から財務部門にすべてを任せていた弊害が露呈したのである。まずは、そこにメスを入れるべきだった。

中小企業の経営者は、決算ごとに利益を上げ、最終的に借入金が減少しているだけで満足してはいけないということを思い知らされた。期中の資金繰り状況や金融機関と契約した約定内容など細かな点も把握し、財務の詳細を知っておくべきであった。荻野屋が現金商売で成り立っていたため、私も財務については「どんぶり勘定」になっていた。そのことを改めて後悔した。

改善計画策定を受け入れ

父の逝去後、荻野屋の財務体質の改善と経営改革の一環として、私は、借りたお金をグループの子会社を通じて不動産投資をしたり、荻野屋本体からグループ会社に業務委託という形で新規事業に取り組んだりしていた。自分の会社とはいえ、よかれと思って行動していたことが、実は事態を悪化させていたのだ。私は、ひどく後悔した。

金融機関はかねてより、私が金融機関に対して相談なしに行動していたことや、グループ間取引の複雑さに心証を悪くしていたのだろう。そのため、私が東日本大震災後に正式に代表取締役社長となり、荻野屋グループの全責任を名実ともに負うことになった機会を捉えて、経営改善を求めてきたのだと思う。

私は、これまで取り組んできた経営改革を理解してもらえないままに、資金援助が止められて、荻野屋が倒産することを心配した。改善計画づくりのために金融機関が求めてきた条件は、①金融機関指定のコンサルタント会社と契約を締結し、デューデリジェンスを実施する、②荻野屋のグループ間取引の実態を把握し、改善計画の策定の指導を受ける、というものだった。断れば、資金援助が打ち切られるかもしれないという状況下で、拒否できるような状況ではなかった。

会社の存続のためには、金融機関の要請を受け入れざるを得ないことは理解していたが、苦しい日々が待っていた。

２０１２年（平成24年）６月、荻野屋は金融機関からの提案を受け入れ、コンサルタント会社主導による経営改善計画の策定が始まった。コンサルタント会社との協議は、荻野屋にとっては苦渋に満ちたものだった。

コンサルタント会社は製造から販売までの現場を見て回り、金融機関へ報告した。その内容は、明らかに粗を探しているようで、重箱の隅をつつくような指摘が多かった。荻野屋の経営について否定的な見解しか報告せず、金融機関にわざわざ余計な不安を煽るような報告とも思えた。しかも、コンサルタント会社への契約金は荻野屋が支払わねばならない。コンサルタント会社にお金を払って、悪いことばかりをわざわざ金融機関に報告してもらう、という奇妙な関係だった。

そのままでは明らかに荻野屋は不利な立場に追いやられることはわかっていたが、ひたすら我慢し、受け入れざるを得ない状況だった。経営者として、このような事態に至ったことを強く反省し、改めて財務戦略の重要性を痛感したものである。

金融機関から出された方針は、次の6点だった。

- 返済計画の変更、いわゆるリスケジュールを前提として、支払金利を減免して元本返済を優先させる
- 当面の間、新規融資は運転資金を含め一切行わない
- 役員報酬の減額をはじめ、経費全体を合理化する
- 1年以内に黒字化する見通しがない赤字店舗は閉鎖・撤退する
- 東京事務所を閉鎖し、東京での事業から完全撤退する
- グループ子会社を清算もしくは統合する

期限を設けて、固定費の削減に主眼を置き、借入金の圧縮を急ぐという内容である。現金流出が大きいものに関しては、「止血」が前提とされた。会社として将来価値を得るために、取得していた資産なども売却する方向だった。簿価よりマイナスの資産でもすぐに換金できるものは売却リストに入れて、売却対象とされた。

売れるものはすべて売り、返済

金融機関にとっては、当然といえば当然の方針である。荻野屋が将来を考え、政策的に投資してきたものであっても、その時点で明らかに収益を生まないものや、将来をシミュレーションして会社の利益に貢献しそうにないものからは、ひとまず撤退するという計画だった。

現金流出を防ぐための措置としてはある程度の理解はできたものの、時間的な経過とともに明らかに価値が上昇している金融商品や、あと1年待てば価値が増えるとわかっている資産までも売却リストに入れることに、私には違和感があった。高いお金を支払って契約したコンサルタント会社が荻野屋のことをほとんど考えてくれず、有無をいわせず計画策定を進めることが、はたして正しいのか。このままでは荻野屋の意図しない方向へ勝手に導かれてしまうのではないか。コンサルタント会社は、金融機関からの自分たちの心証をよくすることだけを考えて、改善計画をつくっている――。そんな被害妄想に駆り立てられるような気分になっていた。

早急に会計上の数字をきれいに見せることだけを考えて計画策定が進められた面もあった。実際に、税務上のリスクが高いのに勘定科目から強引に外してしまい、税務署から指摘され、追徴課税や重加算税が課せられ、さらなる資金流出を招く恐れがある会計処理もあった。

財務体質の改善を考えると、税務会計上認められる損金を使いながら、会社として利益が出ているのであれば益金と相殺して返済資金を捻出するのが常套手段である。だが、そのようなことはほとんど考慮されなかった。

また、経営改善計画を策定していくに際し、借入金の返済計画は普通、見込まれる収支計画をベースにして決められる。ところがその収支計画は、荻野屋が改善に向けて取り組もうとしているのに、業績改善に向かう根拠が乏しいという理由で、再び赤字に転落していくという内容となった。コンサルタント会社と一緒に作成した経営改善計画にもかかわらず、荻野屋の将来像は経営悪化するというものだった。

コンサルタント会社が監視

2012年（平成24年）9月、荻野屋は金融機関に対し、経営改善計画書を提出した。計画書を提出しないことには、金融機関の支援は得られない。荻野屋に、ほかの選択肢はなかった。今後は資産を売却して現金を捻出し、返済に回しつつ、毎月の業績報告を行うバンクミーティングを開くことになった。その間もコンサルタント会社に高い契約料を払い続け、その監視のもとで計画の実行を粛々と進めるという日々となった。

経営改善計画では、現場の業務改善の施策は先送りされていた。そのため、起死回生の商品がすぐに生まれるような状況ではなかった。毎月のバンクミーティングは、毎回ネガティブなことばかりを伝えざるを得ない。私にとっては、いたたまれない場であった。

金融機関の真意がわからないまま、コンサルタント会社主導で策定された計画を粛々と実行しているだけでは、荻野屋はよくならないことは明らかであった。しかし、まずは資産売却を通じて財務体質を健全化すべきという正論や収益力の向上が見えない現状を指摘されると、経営改善計画に異を唱えることはできなかった。

この一連の出来事が起きた理由は、私の経験不足と知識不足による。入社以来、荻野屋のトップとして活動できたのは、父・忠顗の時代から父を支えてくれた経験豊富な社長室長がいてくれたおかげだった。一緒に会社をよくしようと考えてくれた人物で、彼と一緒にやっていれば、ほとんどの問題はクリアできると思っていた。しかし企業会計や財務については、私と社長室長の二人の力だけでは十分ではなかった。

いったん決まった改善計画だから実行しなければならないが、今後、不都合があれば金融機関としっかり話し合わなければならないと考えていた。だが、そのための専門知識、経験が私には圧倒的に少なかった。現状の荻野屋の役員体制を見回しても、この難局を乗り越えていくには力不足であった。

祖母・みねじが厳しいどん底のような環境から荻野屋を再興し、父・忠顕が拡大させたものを、これからも存続させていくためにも、この難局を乗り切るためにも、荻野屋の立場に立って物事を考えてくれるような専門的知識を持った強力な人材が欲しかった。

私は、知人である金融に詳しい先輩や日頃からお付き合いしていた経営者の方々に相談し、打開策を探りはじめた。

社外役員招聘――ガバナンス強化へ

荻野屋を自立的に建て直すには、専門知識のある経験豊富な人材を招聘し、客観的な判断ができる体制をつくるとともに、金融機関とも対等に話し合い、慎重に事を進めていく必要があると判断した。社内ガバナンス体制の強化へ向けて、社外から非常勤の役員を2名招聘することにしたのである。

一人は、知人の紹介で知り会った公認会計士である。群馬にも縁が深い人で、上場企業や有名企業でもアドバイザーや監査役を歴任していた。もう一人は、生前父と親交の深かった金融機関出身の経営コンサルタント。上場企業の社外取締役など、複数の会社の役員を兼ねていた。父亡き後も、高見澤家とお付き合いいただいていた人である。

企業経営に精通した外部の人材を招くことについては、金融機関も荻野屋のガバナンス体制を強化することになるため、異論はなかった。二人が経営陣に入ったことで、コンサルタント会社とも対等に話し合えるようになり、金融機関とも前向きに話が進むようになった。

こうして荻野屋が一連の改善計画を実行していくにあたり、経営のガバナンス体制を強化できた。新しい経営体制では、会計や税務に関する専門家に相談できるようになり、荻野屋の視点で荻野屋をよりよくしていくことを目指す業務遂行体制ができあがった。

改善計画では、荻野屋の経営を不健全にしていた二社体制を解消するために、荻野屋とおぎのやドライブインを合併し、経営の透明化を進めることになっていた。

2012年(平成24年)12月、荻野屋がおぎのやドライブインを吸収合併し、新生荻野屋が誕生した。翌2013年1月から新たに加わった役員とともに、財務体質の改善を最大の優先課題として改善計画を実行することになった。ようやく荻野屋の経営体制が正常な形にたどり着いた。

現場の経営改善こそ必要

荻野屋とおぎのやドライブインを合併し、改善計画を実行する際に心がけたのは、コンサルタント会社がイニシアティブを取るのではなく、荻野屋サイドがイニシアティブを取れるように取り組むことだった。

金融機関に提出した改善計画の修正は、金融機関内の手続きを考えると簡単なことではない。現実的な対応としては、改善計画に従いながらも、実行結果が荻野屋に少しでも有利な効果をもたらすように、微修正しながら改善計画を実行するしかない。もちろん、その過程で金融機関とも直接話し合うことは忘れなかった。

改善計画の前提は、資産売却による現金化で貸借対照表を改善することにあった。それは重要なことではあったが、私は加えて、現場改善の取り組みを進めることで、貸借対照表の資産の源泉である損益計算書の営業利益の改善にも着手しなければならないと考えていた。

改善計画では経営全体の改善を主眼としていたが、現金と利益の源泉である現場改善の必要性にはあまり触れてはいなかった。この分野ならば、荻野屋のメンバーがイニシアティブを取って自立的に取り組むことができるし、金融機関にとっても好ましいことだった。現場改善を実行に移すには、改善手法などの専門的な見地から利益を捻出していく体制が必要だった。

そんな矢先、たまたま大学の先輩の紹介で、ある経営コンサルタントと知り合った。多くの会社の数々の企業の現場改善に取り組み、実績を積んできた経営コンサルタントから学ぶことは、荻野屋だけでなく、私の経営者としての成長にもつながることに違いないと判断した。

厳しい状況ではあったが、必要な投資を惜しんではならない。多少の投資をしても収益状況が改善に向かえば、大きなレバレッジが働くかもしれない。もちろん、100％うまくいくという確証はない。ただ、外部の専門家を招聘し、実績のある第三者の立場で改革を進めたことはなかった。経営改革を進め、それが成功すれば効果は絶大になるはずだ。「やってみよう」と決断した。

社長直轄で経営企画を考える経営改革のための組織をつくり、会社の中の参謀的な役割を担う機能を与えた。これまで私が一人で考え、実行してきたことを複数で実行する組織である。

社内から人材を選び、コンサルタントからは社員の教育と会社の現状分析の手ほどきを受けた。そこで育った社員らが改革案を提出するとともに、社内の人材教育を手がける仕組みづくりを目指した。これは経営改革プロジェクトと名づけられ、経営、販売、製造の3部門をメインにして改革を推進していくこととなった。

プロジェクトは3か月という短期間ではあったが、大きな収穫を得ることができた。現場の状況をいわゆる「見える化」することに主眼が置かれた。現場の改善状況を徹底して数値で示し、数値の変化などを管理できるようになった。

それまでも財務数字の一般的な管理は徹底しており、現場レベルでは一日単位で数字の把握はしていたが、一か月単位で経営に報告していた内容を、重要項目だけ抜粋して一週間単位で報告する制度に変えたことが大きな変化だった。

それによりスピードを上げての情報把握、行動の修正が可能となった。たとえば、峠の釜めしの製造量は、その日の販売予測に対して決めていく。当然、数量は毎日変わり、それに伴い人数も変わるが、実際の製造原価は報告されていなかった。これを改善し、一週間単位で製造効率がどうなっているかなどを確認しながら、業務効率を上げる取り組みを次々と実行していった。

私は、改善計画で求められた貸借対照表と損益計算書の改善を進めながらも、会社の現場の管理手法など、経営体質そのものを改善することが大切だと考え、実行した。会社が持続的に成長するには帳簿上の改善だけでなく、社員が働いている現場や経営陣の判断のプロセスを改善することが本当の力になるはずだ。

金融機関に安心していただき、一刻も早く会社として独自の考え方や行動ができるようにしたかった。そのためには、財務体質ばかりか、経営そのものを短期間に改善して、収益を大幅に改善するしかないと考えていた。実績のある経営コンサルタントを招いた経営改革は、見事に効果を出せたと思う。

負の遺産を処理

荻野屋が財務体質を改善し、将来に向けて再び成長するには、手をつけなければならない経営資産があった。上信越自動車道の佐久インターチェンジ前の佐久店である。佐久店は、上信越自動車道が佐久インターチェンジまで開通した1994年（平成6年）に開店した店舗で、インターチェンジの前に砦のように大きく築かれたドライブインだった。私も入社直後に勤務した思い入れのある店である。一時は売上高が年20億円を超える大規模店だったが、オープンから20年近く経ち、売上げは大きく減少し、利益もほとんど出ない店舗になっていた。佐久店は、大型バスに乗った大量の観光客がやってくることを想定して、二階と三階には浅間山が望める大きなパノラマ団体予約席が設けられていた。その稼働率は年々下がり、固定費負担が大きい問題店舗になっていた。

もともと損益分岐点が高いため、利益は出にくい。また軀体が重く、一部地盤沈下も始まり、毎年のように重くのしかかる修繕費も大きな問題となりつつあった。

荻野屋の一つの時代を築いた店舗を売却するのか、リニューアルするのかは悩ましい問題だった。長年、苦楽をともにした地元在住の従業員のことを思うと、雇用を何とか守りたい。だがリニューアルするにしても改装期間が長くなるので、厳しい経営環境のもとでは従業員に希望退職を募らざるを得ないかもしれない。それでも荻野屋の長期的な将来を考えると、この機を逃さず方向転換し、より強い会社に脱皮していくには避けては通れない道でもあった。

老朽化が始まりつつあった佐久店は建物の資産価値はないものの、インターチェンジの目の前の広い土地に立っていたので、それなりの価格で評価されていた。いくつかの大手デベロッパーとさまざまな開発手法を検討した。佐久店を解体し、新たな商業施設を建設し、テナントを誘致してはどうか。佐久店の建物をそのまま活かせないか。荻野屋が引き続き所有しデベロッパーにリースできないか。さまざまな方策を検討したが、最終的にはすべてを売却する方向で固まった。

荻野屋の歴史の中でも、これほど大きな店舗の撤退というのは、後にも先にも佐久店だけである。忠顕の時代には、佐久店は最重要店だった。荻野屋の役員、社員らも非常に切ない思いでいることは理解できた。私は荻野屋を引き継いだ身として、荻野屋の存続を最優先に考えなければならない。一刻も早く経営を正常な状況に戻すことを考え、断腸の思いで決断し、実行に移そうとしたのである。

売却先は、二転三転した。金融機関との関係を重視し、金融機関からの紹介で地元の会社へ売却することが決定した。それから半年後、２０１５年（平成27年）10月31日をもって佐久店は閉店し、20年余りの歴史に幕を下ろした。

佐久店売却のおかげで金融機関と約束した経営改善計画も大きく前進し、荻野屋は自立への一歩を再び踏み出した。

同族会社の持続性とは？

ここで少し話は横道に入るが、同族会社についての私の意見を述べたい。金融機関の要請で経営改善計画を策定し、改善計画を実行する中で、同族会社の持続性について考えることが多かった。

日本の会社の約99％は、資本金1億円未満の中小企業だ。そのうち約97％が、同族経営といわれている。１００年以上続く同族会社の数は、世界的に見ても日本が圧倒的に多い。創業家が連綿と奮闘し、伝統文化といえる経営風土を承継してきたからだろう。

荻野屋も例外ではない。荻野屋は、創始の政吉の時代から髙見澤家が中心となり、運営してきた。四代目の祖母・みねじの時代に法人化したが、髙見澤家が創業家として大半の株を持ち、経営を主導した同族会社である。

会社を未来永劫存続させていくためには、毎期の損益計算書や貸借対照表の数字をよくするだけでは足りない。「売り家と唐様で書く三代目」ということわざがある。初代が苦労して築き上げた事業も、三代目ともなると商売をおろそかにして遊芸にふけり、家屋敷を売りに出すようになるという戒めである。次の世代に向けた投資を続け、時代の変化に後れを取らないように会社も常に変化させていかねばならない。

荻野屋も四代目のみねじが画期的なヒット商品となった「峠の釜めし」を考案したことで、辛うじて生き残った。

同族会社のガバナンス強化

同族会社を持続させていくために考えておかねばならない問題として、経営陣の家族間の人間関係、しがらみが悪い影響を与えることがある。長い間、事業が継続されるにつれて、親戚筋が多く経営に参画するようになると、お家騒動が起きることもある。

では、どうすればよいのだろうか。株式は会社の所有権であり、いわば支配権である。同族であれば、株式の所有比率がそのまま会社の意思決定となる。所有者＝経営者ということも少なくない。この株式の所有者が多数になれば、会社の意思決定は複雑になり、会社を継承する際にも株主間の慎重な調整が必要になる。そのため私は、株式の分散は同族であっても、できる限り避けるべきだと思っている。

同族会社の場合、会社継続のためには株式を分散させないようにすることが大切なのだが、その一方で弊害も起こりやすい。創業家出身の社長一人に株式も権力も集中することで、会社のためとはいえ独断専行で経営判断をしたり、公私混同とも取られるような行動をしかねない。私の場合は、時代の先を読み、事業スタイルを変えねばならぬと果敢にチャレンジし続けたものの、やや独りよがりのところがあった。

重要なことは、権力が集中する同族会社のガバナンス体制をどう築くかである。荻野屋の場合は、荻野屋の歴史を理解し、企業会計などの知識と企業経営の経験が豊富な社外役員の方に来ていただいた。どんな優秀な人材であっても、すべての経営判断を適切に下すことは難しい。ましてや私のように、知識も経験もないままに経営の舵取りを任せられたような場合は、身近にプロの経営指南役が存在することが必須だと思う。

第三者的な立場でガバナンスが適切に機能すれば、同族会社としてはありがたいのだが、なかなか難しい。昔話に出てくる長老のような存在がお目付け役として存在し、現リーダーに意見を述べる立場の存在があれば、少しはガバナンスは機能するのかもしれない。また欧米では同族で構成する集会が存在し、その組織が同族会社に意見を述べることがあるという。会社の後継者も一族の同意のもとで選出され、必ずしも直系だけではない優秀な人材が経営を任されることもあるという。同族会社でガバナンスを考えるならば、このような仕組みも必要となってくるのではないかと考える。

そして、私が最も同族会社にとって必要だと思うのは、企業理念によるガバナンス体制である。荻野屋の発展の礎を築いたのは、四代目のみねじだった。みねじの経営哲学の核心は「お客様につくし、喜んでもらうこと」である。衛生管理を徹底したのも、従業員を大切にしたのもお客様のためであった。すべての経営判断、現場での作業で「企業理念が守られているか」を日々、確認できたとすれば、会社が誤った道を歩むリスクは軽減されるに違いない。

時代に合わせ事業を変えていくときも、創業から受け継がれている企業理念と照らし合わせることで、経営判断をチェックすることができる。企業理念を墨守することが、強固なガバナンス体制を築くことになる。

私は、金融機関との交渉の中で同族会社の在り方について改めて考えさせられ、自分の至らない点を反省したものである。

第7章

創業200年への基盤づくり

――東京進出

２０１２年（平成24年）に始まった経営改善計画の取り組みは、２０１５年（平成27年）秋の佐久店の売却が大きな難題だった。それをクリアしたものの、なお苦しみながらも借入金の返済と現場の経営改善という地道な努力を続けた。

一方で、１８８５年（明治18年）創業の荻野屋が次の１００年間を生き抜くための長期的な視点も忘れてはならなかった。荻野屋は２０２０年（令和2年）に創業１３５年を迎え、２００周年までの65年をどう生き抜くのか。そのときまで私が生きているとは思えないが、荻野屋を継承した者としてはしっかり基盤を整えなければならない。

荻野屋は、髙見澤家が中心となって経営している同族会社である。大胆な判断をすばやく下すことなど、同族会社だからこそできることは多い。また、血のつながった経営者が連綿と引き継いだ同族会社だからこそ、歴史を紡いでいける。同族会社が持っている根本的な仕組みを理解していなければ、会社の歴史は容易に終止符が打たれてしまう。同族会社の経営は、事業を順調に軌道に乗せて安定させるだけでなく、次の代につなげていけるような形をつくることが求められているのである。

創業当初は事業を興し、成長させることを前提に果敢に挑戦できた。ところが、次第に家訓などが決められ、「変えてはいけない」という守りの経営になっていくことがある。事業が順調であるならば、会社のシステムを変える必要はないかもしれない。だが、それでもあえて変えることに挑戦していかないと、停滞どころか衰退することが多い。

荻野屋の歴史を振り返ってみても、時代とともに挑戦をして、チャンスをつかみ、常に変わってきた。だから荻野屋は、135年も存在することができたのである。このように認識しながら、私は経営を行ってきたのだが、やみくもに挑戦するだけではうまくいかないことも多い。

それは、経営改善計画を進める過程で痛感したことである。多くの周囲の人たちに助けられてきたが、より一層自分自身の成長が必要であると思うようになった。私がもっと成長すれば、荻野屋の成長にもつながるはずである。荻野屋をよりよい会社にしたいという思いからの過去の私の行動は必ずしも間違ってはいなかったが、私の知識や経験の不足と勝手な思い込みがボタンのかけ違いとなり、一連の混乱を招いたのは事実だった。

失敗に学び、自分自身を高める

リーダーシップを発揮し、業績の安定や拡大をもたらすように正しい方向に導くのが経営者の役割だと思う。正しく導くための方法がよくわかっていなくても、自己流の方法でも会社を引っ張っていけるかもしれない。何が正しいかは、やってみないとわからず、現実は想定どおりに進まないことが少なくない。だが、自分自身を高めていくことができれば、正しいかどうかの精度は高まるはずである。

私は、大学時代のアルバイト経験を除けば、荻野屋以外で働いた経験はない。ある意味、実務経験が乏しい。経験がなくてもそれを補うための正しい知識があれば、経営判断を適切に下せるのではないかと思う。知識を学んだうえで実践し、経験したほうが、何も学ばず、ただ経験するよりも大きな収穫を得ることは多いだろう。知識には、それなりの効用があるはず。私は仕事に役立つ知識の習得を積極的に努めることが、よりよい会社づくりのためになると信じている。

そのため多くの書物を読み、独学で自分自身の経営に関する知識を高めてきた。大学時代に学んだ「リーガルマインド」のように、自分自身の思考方法の基盤をつくる知識はとても重要だと思っている。

知識の必要性は十分にわかり、日頃から努力していたつもりだったが、荻野屋の経営をしっかり運営できていなかったことを考えると、以前の私は未熟だったといえる。

そんな問題意識を抱えていたころ、知人から私の母校・慶應義塾大学に新設された大学院の教官を紹介された。システムデザイン・マネジメント研究科（以下、SDM）の白坂成功（せいこう）准教授（現・教授）だった。

SDMについては、書物を通じて知ってはいた。SDMは、現代社会における大規模で複雑化した問題の解決策を考えるのに必要な手段やアプローチを学ぶ実践的な「場」である。システム思考やデザイン思考という言葉は、ビジネス書などでもたびたび目にしていた。システム思考やデザイン思考を学ぶ場であるSDMにはとても、興味を持った。もしもそこで学び直せるものならば、ぜひ学びたいと思った。

しかし私は、荻野屋の全責任を負っている社長の身である。大学院に通うのは難しいだろうと、いったんは諦めかけていた。それでもせっかくのご縁だったので、白坂教授のアポイントを取り、話を伺うことにした。教授の話を聞くと、SDMは社会人向けにも設計された大学院で、学生の半分以上が社会人だという。社会人にも通いやすいカリキュラムが組まれ、インターネットを利用したeラーニングでの受講も可能だった。遠隔地からでも、時間のない人間でも学びやすい環境が整っているという。

そこで学べる内容は、私がそれまで独学で学び、経営戦略や計画立案の際に考えていた方法に近かった。専門的な経営手法というよりは学術横断的な学問で、それを自分自身の知識と組み合わせることで、実践的に活用できそうだった。私に足りないものは、体系化された学問をしっかりと学び、それを活かすことだと思っていた。

SDM入学――「システム×デザイン思考」を学ぶ

荻野屋の将来展望を考えるためには、必ず役に立つ学問だろうと思った。私は、白坂教授に会ったその場で、大学院へ通うことを決めた。

2016年(平成28年)、再び慶應義塾大学の門をくぐり、SDMへ入学した。それから2年の間、学生生活と経営者という二足の草鞋(わらじ)を履くことになる。

SDMでは、単にシステム思考やデザイン思考という考え方だけを学ぶのではない。SDMが独自に確立したSDM学というシステム思考と、デザイン思考を活用したマネジメント手法を学ぶ色彩が強い。それは学問というよりも、実践に役立つ考え方を学ぶイメージである。講義の中には、実際の企業とも連携しながら、イノベーティブな解決策を提案するという内容のものもあり、かなり実践的な内容だった。

ＳＤＭで独自に確立された「システム×デザイン思考」は、どう問題設定をするかから始まり、解決策を導くまでの思考方法である。対象になるのは、コンピュータや機械のようなシステムだけではない。政治、社会、経営など、あらゆる問題をシステムとして捉え、考える。アウトプットとして導き出される解決策をシステムとして捉え、システムが予め想定された機能を発揮するようにデザインしていく（つくりあげていく）というものである。その中でさまざまな問題解決のためのプロセス、フレームワークの使い方や思考の構築について学ぶ。

経営もシステムとして考え、理想とする経営に向かってどのようなシステムをつくりあげるかを考えるうえで、「システム×デザイン思考」は非常に有用であると感じた。また、「システム×デザイン思考」は、偶然にも「峠の釜めし」の誕生の際に四代目のみねじが考えたことと、とても似ていることに驚かされた。

私自身もＳＤＭで学ぶ中で、自分自身の経験と将来の荻野屋の経営に鑑みて、研究テーマとしては同族会社を永続的に存続させていくために、どのような後継者育成が必要かを考えた。日本などの事例を踏まえ、同族会社の後継者育成のプロセスと方法を提案し、論文にまとめた。

この2年間は、多忙な時間を送ったが、10年くらいを凝縮したかのように、濃い内容のものとなった。「SDMを修了したら、入学したときとまったく違う自分に出会える」という教授の言葉どおり、SDMを修了時の自分自身の考え方や思考の成長ぶりは自分でも驚くばかりだった。当初は、教授の言葉は正直大げさすぎると受け止めていたが、受講するにつれて自分自身の考え方や取り組み方が大きく変わっていくのが実感できた。修士論文を書き終わったころには、まさに教授の言葉どおりの自分に出会えたと感じたものである。

東京進出への長い道

経営改善計画の実行中、自分自身のレベルアップのための自己研鑽とともに、荻野屋の次なる飛躍のために必要な施策にも取り組んだ。長年の懸案となっていた東京への進出である。経営改善計画では東京事務所の閉鎖を求められ、東京から一時的に撤退した経緯がある。だが、会社として今後も成長していくには、創業の地とその周辺だけで商売を続けるのではなく、外国人も含めて多くの方に荻野屋の商品を手に取ってもらい、愛される存在になることも目指したい。そのためには、東京での認知度をさらに高めるとともに外国人にも知ってもらわねばならないと私は考えている。

東京に拠点を持つことは、新しい情報と人脈を獲得するにはとても大事なことである。インターネットが発達し、地方でもグローバルな情報を得て、活動できるようにはなった。だが、日頃から気軽にフェース・トゥ・フェースで会う人たちとの情報交換は、企業経営に携わる者としては極めて大切だと思う。

特に東京は、地方に比べてビジネスのスピードが圧倒的に速く、企業同士の切磋琢磨も激しい。そこではビジネスを進めるうえでヒントを与えてくれたり、刺激を受けたりする新しい体験や人との出会いがある。東京に拠点を持つことは、私にとっても荻野屋にとっても計り知れない価値があると考えていた。

そのように私が思いはじめたのは、一人の旧友との出会いがあったからである。荻野屋で働きはじめてまだそれほど時間が経っていないころである。高崎駅の新幹線のホームで偶然、中学・高校時代の友人と再会したのである。

聞けば、東京で新しい会社を立ち上げ、ベンチャーキャピタルからも出資を受け、上場を目指しているという。高校卒業後、都内に移り住み、飲食関連の仕事をしていると風の便りで聞いてはいたが、大学に進学してからは音信不通となっていた。高崎駅で再会したことで何やかやと話に花が咲いたのである。

私は、知らない間に大きく成長している友人の姿を見て、経営者として歩みはじめたばかりだが、自分も負けるわけにはいかないと駆り立てられるような思いだった。その後も互いの時間が許す限り顔を合わせ、仕事やプライベートの話をするようになった。その過程で、自分が知らない世界を知っている彼から多くのことを学び、多くの刺激をもらったのである。

彼を通じて、食関連の多くの経営者とも知り合い、人的なネットワークも広げることができた。彼の食にかける情熱は、私にはとても刺激的だった。彼が考えていたビジネスプランを聞くうちに、同じ経営者として、そして食に携わる人間として、荻野屋にこれまで以上に情熱を傾けるようになった。

私は新しい商品や業態開発のために東京で流行している店を訪問し、「食ビジネス」の動向を探った。同時に、食や飲食店の現状などを情報交換し、意見交換する会合にも責極的に参加した。彼とはどんなことでも相談するようになった。荻野屋に足りないところは彼の会社に助けられ、常に一緒に活動したのである。

そうした行動を通じて、私は群馬にいては最新の情報に触れられないと考え、東京に拠点を構えた。それが、最初の東京進出だった。

そもそも荻野屋の取引先である旅行会社は、都内周辺に多い。営業活動を強化するには、都内に事務所を構えるほうが、都合がよかった。観光で群馬や長野の店に来店されるお客様の多くは、首都圏からの旅行者である。市場調査や新規事業開発のための情報収集には都内に拠点があると有利になる。私は、都内で活動することが荻野屋をさらなる進化に導くと信じていた。

荻野屋の歴史を見ても、弁当屋を創業する前に貴重な助言を受けたのは、明治の元勲・桂太郎だった。人脈の形成は、ビジネスチャンスをつかむために必要な要素の一つである。都内における活動は私の人脈形成につながり、群馬にいたときよりも多くの情報が入ってくるようになった。

横川は、都心から距離にすれば150キロ程度。自動車ならば高速道路を利用すれば2時間前後、鉄道ならば東京駅から1時間30分～2時間である。大した距離ではないものの、行き来する身にしてみれば、物理的な距離以上に心理的な距離を感じていた。東京に拠点があれば、心理的な距離を縮め、情報提供や荻野屋への問い合わせが増えるだろうと考えた。実際に拠点を設けると、都内にある取引先や知人などが気軽に事務所に来てくれることが多くなった。明らかに商業施設への出店の話など、前向きな情報が集まってくるようになったのである。

この都内の拠点は、前述のように、東日本大震災後、金融機関と経営改善計画を進める中で一時、撤退せざるを得なかった。まずは借入金の返済に邁進せよ、という金融機関の要請があったからである。だが、荻野屋が横川に縮こまっていては、次なる成長の種は見つけにくい。私は再び、拠点設置の機会を探り、小さいながらも東京に支店として事務所を構えた。

この事務所は、主に弁当類のイベント販売や注文販売のための営業拠点となった。やはり東京には、人も情報も集中する。インターネットが発達したいまでも、都内に拠点が存在することで、取引先は安心感や親近感を持つようだ。拠点がなければ、ほんのちょっとした差でビジネスチャンスを逃してしまうのではないだろうか。

ＧＩＮＺＡ ＳＩＸへの出店

東京に拠点を持っていたおかげで、銀座松坂屋の跡地に新たに建設される商業施設、Ｇ

GINZA SIX店。2017年（平成29年）オープン

ＩＮＺＡ ＳＩＸへ出店しないかという話が持ち込まれた。２０１４年（平成26年）のことだった。オープンは、２０１７年（平成29年）４月に迫っていた。常に都内への出店を模索し続けていた荻野屋には、うれしいオファーであった。これも友人を介して知り合った人物からの申し出である。改めて人的ネットワークの大切さを思い知らされた。

かねがね私は都内なら銀座に出店したいと思っていたので、願ってもないチャンスだった。荻野屋の将来を考えると、会社の認知度を再び上げたかった。60年以上前の１９５８年（昭和33年）に、月刊『文藝春秋』の小さなコラムで紹介された「峠の釜めし」。それが、全国の読者に荻野屋の存在を知らしめた。そのおかげで、横川駅という群馬の田舎の小さな駅で誕生した釜めしが何度もメディアに取り上げられ、一気に認知度を上げていった。

認知度が上がり、多くのお客様に釜めしをお買い求めいただいた。もちろんこの間、釜めしの品質を維持し、よりよい商品への改善を怠らなかったことも商品価値が維持できた理由である。

しかし、どんなによい商品をつくったとしても、まずは知ってもらわなければ売れることはない。消費者行動モデルに代表されるように、お客様に認知されてこそ、商品は買っていただける。

ＧＩＮＺＡ ＳＩＸへの出店が打診された２０１４年（平成26年）は、信越線横川―軽井沢間が廃止されてからすでに17年の時が過ぎていた。横川駅で機関車の連結作業中に釜めしを食べた世代もすでに60歳前後になっている。

私には、横川の「峠の釜めし」は過去のものとなりつつあるという強い危機感があった。荻野屋の看板商品の衰退が、荻野屋の衰退につながるのは明白であった。

低下する「峠の釜めし」の神通力

荻野屋を取り巻く観光業界の変化は大きかった。長野オリンピック開催以降、交通網が発達したおかげで、長野方面への旅行はとても近くなった。つまり長野は費用が安く、距離が近く、日程が短い「安・近・短」の旅行先となってしまった。募集型のバスツアーは安さがいちばんの売りになった。

そのため、旅行代理店は価格が低い商品でないとなかなか応じてくれなくなってきた。価格競争は激化し、利幅も少なくなり、多くのドライブイン業者が苦戦を強いられた。ツアーを企画する際に、移動時間を短くする必要が高まり、観光バスがドライブインに立ち寄る時間も短くなる。ドライブイン・ビジネスは、バス旅行のお客様が店舗に立ち寄り、食事をしてお土産をお買い求めいただいて成り立っている。それが「安・近・短」の旅行が主流になると、店舗利用は極端に減少し、ドライブイン・ビジネスは苦しんだ。

それに追い討ちをかけるように、バス事故をきっかけにバス規制が強化され、業界全体のバス旅行数が減少した。それに伴い、ドライブイン・ビジネスは危機に瀕した。絶対数の少なくなったバス旅行客を奪い合い、価格競争が激化した。市場規模が縮小している中で、価格競争が繰り広げられるという悪循環が進んだのである。

荻野屋は価格競争に巻き込まれないように努めてきたが、旅行代理店の要望に沿う価格や内容を提案できないと集客は難しい。ツアー予算が決まっている旅行代理店からすれば、釜めしは、予め値段が決まっているために採用しにくい商品だった。

提供している商品の品質は他社より優れていると自負していたが、お客様が減ってしまっては元も子もない。かといって、ドライブインにお客様を連れてきてもらうために旅行代理店に支払う手数料を増やしたり、商品の値下げをしたりしてしまうと、構造的な赤字体質に陥ってしまう。

だからといって商品の品質を下げ、利益を確保するという戦略を荻野屋は取りたくない。お客様に商品やサービスに直接触れていただき、喜んでもらいたい。それが、荻野屋の企業理念である。「峠の釜めし」が生まれたのも、お客様に温かい弁当を提供し、喜んでもらいたいという思いからだった。釜めしの美味しさを期待してお越しいただいたお客様を落胆させるわけにはいかなかった。

私は入社以来、社内改革のために峠の釜めしにまつわることを変える努力をする一方で、事業展開に関しては峠の釜めしを中心とした販売に力を入れてきた。釜めしの品質は落とさず、むしろ高められるように食材の仕入れや製造方法を改革してきた。なぜかというと、荻野屋の中心は相変わらず「峠の釜めし」であり、それが絶対的な価値を維持している限り会社の競争力を高めてくれるはずと思っていたからである。

これまでの荻野屋の努力は、厳しい市場環境のもとでいまも効果を発揮しているのだろうか。

多くの百貨店やスーパーなどで開催される駅弁大会やイベントで、「峠の釜めし」はいまも多くのお客様からご支持をいただいている。一方で、群馬や長野の店舗では販売量が伸び悩む。観光客が減り、その結果として地元での店舗利用が減っているからである。

釜めしがいまも競争力のある商品で、存在感を発揮していると考えるべきなのか、もはやそうでないと考えるべきなのか悩むところだが、私は「峠の釜めし」の存在感が徐々に薄れているのではないかと危惧していた。だからこそ、「峠の釜めし」だけに頼らない経営体制の構築を進めてきたのである。

「峠の釜めし」ではない、第二の柱となるような商品や業態ができれば、荻野屋の経営の強化につながる。「峠の釜めし」以外の商品開発やドライブイン以外の新業態開発は、社員の技術力の向上につながるとともに、荻野屋の存在感を高める。

すでにドライブインの店舗やサービスエリアの店舗のフードコートでは、地元の郷土料理や食材に主眼を置きながら、麺類や丼もの、定食類などを提供してきた。ネクセリア東日本が主催する各地のサービスエリアが参加するメニューコンテストでは、荻野屋の出品メニューは高い評価をいただいている。私は、荻野屋のスタッフの能力は客観的にも高いことが証明されているのに、どうして「峠の釜めし」ばかりに注目が集まってしまうのかと思う。むしろ「峠の釜めし」の根強いファンの存在を活かしながら、他の商品にこそ注目が集まるようにお客様を振り向かせるべきではないかと考えている。

銀座への出店計画は、それまでの観光事業からの脱却を狙い、新しい荻野屋をつくるための第一歩である。「峠の釜めし」以外の商品や新業態の開発を通じて荻野屋が培ってきた力に、まずは日の目を浴びさせたい。都内で初めての常設店舗となるＧＩＮＺＡ ＳＩＸへの出店は、荻野屋の今後の展開を考えるうえでの旗艦店としての位置づけにしたいのである。

「破壊と再生」を繰り返した銀座

荻野屋の初の都内常設店を銀座に出店した理由はいくつかある。ワールドワイドに知られている銀座に出店することは、銀座に軒を並べる日本の老舗企業や世界的なブランドがある地への出店ということで、荻野屋としてのブランドイメージの向上につながるのではないか、大きく企業イメージが向上するのではないかという狙いがあった。

また、世界から観光客が押し寄せる銀座に店を構えれば、日本文化の一つである駅弁文化を海外にアピールできる。それればかりか、群馬や長野といった地方都市への興味を海外のお客様に持っていただけるのではないかと考えた。今後、世界市場を目指したい荻野屋にとって、銀座は格好のＰＲの場所になると信じている。

そして、何より銀座は歴史の中でイノベーションを起こしてきた場所である。江戸時代以前の銀座は隅田川が運んだ土砂による砂州で、その後埋め立てられた土地である。江戸時代には大火に見舞われ、関東大震災でも壊滅的な被害を受けた。それでも何度も破壊と再生を繰り返し、そして伝統と革新を生み出して、衰退することなく光を放ってきたのが銀座である。

荻野屋もまた何度も危機に直面し、そのたびに進化し、切り抜けてきた歴史を持つ。銀座への出店には、再出発への新しい出発点にしたいという願いが込められている。

一方で、過去の失敗から学び、リスクを最小限にすることも忘れなかった。銀座の家賃はめっぽう高い。PRになればいいといえるほどの余裕は、いまの荻野屋にはない。仮に失敗した場合にも経営の足を引っ張るようなことがあってはならないと考え、4坪（約13平方メートル）という最小限のスペースに出店した。小さいスペースながらも、売上げと利益をしっかり確保するとともに、釜めし以外の新商品を提示し、お客様の反応を見るショールームとしての意味合いを持たせた。いわば、新しい荻野屋をつくるためのインキュベーションセンターなのである。

GINZA SIXでは、「峠の釜めし」はもちろんのこと、「玄米弁当」や「とりすき弁当」、銀座のご当地弁当である「銀座のわっぱめし」などの新商品を販売。新たに開発した弁当を次々と並べていく。イベント販売として「銀座の釜めし」という形で、まったく新しい釜めしを開発し、販売もする。銀座ならではの、日常の中の非日常を意識した少し贅沢な釜の容器に、一味違う食材で彩った釜めしを提案する場である。

GINZA SIXでの新商品「銀座のわっぱめし」「玄米弁当」「とりすき弁当」

ＧＩＮＺＡ ＳＩＸは、２０１７年（平成29年）4月20日に開業。同時にＧＩＮＺＡ ＳＩＸ内の「荻野屋」も営業を開始した。銀座のど真ん中といってもいいＧＩＮＺＡ ＳＩＸの開業は、多くのメディアの注目する的となり、またそこに都内初の常設店舗として構えた荻野屋も多くのメディアから注目されることになった。新しい多くのお客様に荻野屋を知ってもらい、新たな荻野屋の挑戦を後押ししてもらいたいものである。

荻野屋の認知度を上げるプロジェクトは、銀座への出店だけに留まらない。もっと多くの消費者への認知度を上げる効果が期待できるのが、コンビニエンスストア、ローソンとの協業である。２０１４年（平成26年）11月に始まった「峠の釜めし本舗おぎのや監修　炊き込みご飯おにぎりセット」という、弁当の開発だ。ローソンからの申し出から始まったプロジェクトで、年に数回、期間限定で売り出した。

コンビニに荻野屋の名前が明記された商品が置かれることで、荻野屋を知らなかった若者に新しく訴求できるとともに、かつて「峠の釜めし」を食べたことがある中高年世代に荻野屋を思い出してもらうことができる。

新しい釜めしへのチャレンジが、新しい荻野屋をつくる

２０１３年（平成25年）2月1日、峠の釜めしは販売開始から55年を迎えた。私は新たな取り組みに向け、一つのアイデアを実行に移すことを考えていた。それは、定番の峠の釜めしに加え、新しく四季に応じたものを販売するということであった。

峠の釜めしは１９５８年（昭和33年）の発売以来、会社の方針として釜めしと名のつく商品は峠の釜めし一種類のみということになっており、55年間守ってきた。その結果、食材や製造方法などは最適化され、いわゆる「金のなる木」として荻野屋の発展へ貢献して

きた。釜めしが一種類ということで、荻野屋の立場からは品質管理の簡易化や製造の合理化が進み、お客様の立場からも、常に品質が均一で安心して買えるということで、双方にとってのメリットをもたらしてきた。

峠の釜めしは、荻野屋における看板商品として、絶対的なブランドになったのである。

一方で、「峠の釜めしに頼っていれば大丈夫」という考えが社内に浸透してしまい、峠の釜めし以外のことに関しては積極的に行う必要がない、無駄な仕事が増えるだけという風潮ができあがってしまったのも事実であった。

この現状を打破しなければ、会社は衰退する。

私は、峠の釜めしに関わることを見直し、根拠のないことや合理性に欠けることを変えていくことで、新しい荻野屋をつくることにつながるはずだと考えた。

たとえば、峠の釜めしが一種類である必要性の根拠はなく、むしろ別の種類の釜めしがあるほうが、お客様からすると峠の釜めしの再確認や再認識につながるのではないかという考えがあった。そこで、新しい釜めしの開発へと着手したのである。

実は、55年前の当初の構想では、横川周辺で採れる四季折々の食材を使用するとしており、季節によって中身の食材を変えて販売していた時期もあった。旬の食材はそれがいちばんおいしい時期であり、多くの栄養素を摂れるからという、学生時代に栄養学を学んでいた四代目・みねじらしいアイデアであった。

発売当初の峠の釜めしの掛け紙のデザインにも、「四季折々の山の幸にて風味豊かに調整致してあります」と表記されていた。

しかし、峠の釜めしが爆発的な売上げを伸ばしはじめたあたりから、その季節における一定の食材量の確保が難しくなり、四季折々ではなく、均一の状態を維持できることを目的にいまの形に落ち着いていった。

私はみねじの想いを受け継ぐ意味もあり、発売開始55年を機に季節限定の釜めしをつくろうと試みたのである。だが、発売当時のようなものをそのまままつくるのではなく、季節の食材を使って大きく内容を変えたまったく新しい釜めしにしようと思ったのである。

それには理由があった。お客様には釜めしを食べることで、横川に訪れた季節を感じてもらいたいという思いがあったからだ。また、もともと技術力の高い職人たちの活躍の場が開かれるだけではなく、新しい食材や調理方法の研究につながり、新たな知識の習得で、これまでとは違った発想の料理と出会えるきっかけにもなると考えたからである。

特に注意したのは、季節の炊き込みご飯である。

これまでは原価の関係から使用できなかった食材を数量限定ということで、多少無理をしてでも高価な食材を使ってみた。たとえば、春の季節には生の筍を使用したり、夏は夏野菜中心の構成に、秋はキノコ類や根菜を用いて、冬の季節は群馬の名産の下仁田ネギを使うなど、食材にこだわった。人気の高い鶏肉も、鴨を用いたりして味の工夫を考えた。

峠の釜めし販売開始60年のときには、還暦祝いということで赤い釜を用いて、鯛めしやエビなどの食材で、お祝いを表現した釜めしを数量限定で販売した。

このように、釜めしの種類を増やしたことで、堰を切ったかのように釜めしの内容だけでなく、釜の容器の色を変えるなど、さまざまな方向へと波及していった。

その後も、次々と限定の釜めしを生み出していった。たとえば熊本で行われた駅弁大会では、現地製造で熊本の食材を用いた「熊本の釜めし」を販売した。他にも、秋の定番弁当であった国産松茸をふんだんに使った松茸弁当をリメイクした「松茸釜めし」や、信越線をＳＬが走るイベントの際に数量限定で販売した黒塗りの釜の「ＳＬ釜めし」など、新しい釜めしを開発していくことにつながっている。

季節の釜めしは、発売後も毎年楽しみにしていただいているお客様もおり、新しい商品開発の必要性を改めて感じさせてくれた。

長年続いていることを見直し、新たな取り組みを行うことで新たな伝統が築かれていく。伝統とは、チャレンジしていく中でうまくいったことが残るものであり、決して古くから行っていることだけを続けていくことではないものだと感じている。

「チャレンジ、チャンス、チェンジ」は、荻野屋の基本姿勢であり、峠の釜めしは、荻野屋がこれからもチャレンジしていく姿勢を示す象徴として考えている。

成功するまで諦めない

GINZA SIXへの出店やコンビニとの協業を通じて、群馬や長野をもっぱら営業基盤としてきた荻野屋が、より広い市場に打って出る準備が整いつつあると思う。長らく私が願っていた、釜めしだけに頼らない経営基盤が徐々にではあるが整いつつある。

2012年(平成24年)に策定された経営改善計画は、この間も着々と進めた。荻野屋の社員と一丸となって、膨れ上がった借入金の返済に主眼を置き、貸借対照表と損益計算書を改善した。荻野屋の業績はまだ満足できるものではなかったが、2018年(平成30年)の夏に、予定よりも1年早く金融機関と合意した経営改善計画の数字を達成し、改善計画は終了したのである。その後も金融機関とは新しい協議の場を持ち、次なる成長を目指す計画をつくり、ようやく新生荻野屋が自立して歩みはじめたところである。

今回の新型コロナ禍は、荻野屋がまさに新たな歩みを進めようとしているときに発生した。しかも、このトンネルはいつまで続くのかわからない。大げさにいえば創業200年を目指して、経営基盤を整え、「さあ前に進んでいこう」と決意を新たにした矢先の出来事だった。

だが考えてみれば、2012年からの経営改善で荻野屋は生まれ変わりはじめている。新しい販路、新しい商品を生み出す知恵が荻野屋の血肉になり、新しいお客様にリーチできる基盤を手にしつつある。もしもこの苦しい8年間がなければ、荻野屋は昔のままの荻野屋に過ぎなかったかもしれない。

不幸にもコロナ禍を迎えて、荻野屋の経営基盤を強固にした苦しい8年間の努力のありがたみをひしひしと感じる。新生荻野屋へと歩みはじめていたことは、まさに僥倖だったといえよう。

松下幸之助氏は、成功するための要諦を「成功するまで諦めないこと」と喝破した。私も過去の荻野屋の先達と同じように、決して諦めず、荻野屋を背負っていく覚悟である。

おわりに

荻野屋の合言葉「チャレンジ、チャンス、チェンジ」

荻野屋では、例年1月1日の朝は役員幹部とともに高見澤家の先祖の墓参りから始まり、年頭のあいさつ、そしてその年の会社方針についての会議が行われる。元旦に墓参りから始まるのは、いまある荻野屋は先祖代々が築き上げてくれたおかげであるとの感謝を示し、初心に戻り、今年一年の事業をやり遂げていく決意を心に刻み込むためだ。

２０２０年の元旦は、例年に増して期待する思いが強くなっていた。ちょうど荻野屋が横川駅にて弁当事業を開始して１３５周年にあたる年であり、念願の東京オリンピックの開催や、前年に完成した杉並区の弁当製造拠点を活用した東京事業の展開に向けて大きな期待を寄せる一年になるとの思いが強かったからだ。

振り返れば、荻野屋に入社したのが２００３年（平成15年）。さまざまなことにトライしながら17年間を駆け抜けてきたように思える。

実は、家を継ぐことなど考えもしなかった自分にとって、弟二人が学生だったため、仕方なく中継ぎとして荻野屋へ入社したのを覚えている。生まれ育った実家ということ以外、峠の釜めしへの思い入れも特になく、幼いころに食べた味や中学・高校時代の夏休みにバイトした思い出くらいしかない。顔を見れば、父と衝突するばかりで、中学・高校時代は、一刻も早く親元を離れたいという気持ちが強かった。「荻野屋」や「峠の釜めし」とは関係のない、自分のことを知らない人たちのいる場所への憧れが強かった。

入社後も、しばらく心境に変化はなかった。当時の会社の状況からしても、峠の釜めしの売れ行きは相変わらず好調で、一見すれば順風満帆な経営で、粛々と借入金を返済して財務諸表の改善さえしていけばいいのではと思ったくらいだった。

そんな中、私の気持ちに転機が訪れるきっかけとなった出会いがあった。東京出張の際、JR高崎駅の新幹線ホームで旧友と再会を果たしたのだ。

彼と再会してからは、時間を惜しんでは東京へ出かけて、飲食業、サービス業について語り明かした。彼の飲食にかける情熱や考え方に触発されただけでなく、彼の性格は非常にユニークでユーモアがあり、社交的な性格は男女問わず多くの人間を惹きつけた。その結果、私自身の人脈も大きく広がり、その人脈がいまの仕事に生きていることも少なくない。

父の他界で事業を引き継ぐことを決めた自分と、自ら積極的に事業を展開している彼。恵まれた環境を引き継ぎながら、その環境に甘んじていた自分の弱さ、荻野屋の現状の停滞している状況の打破の必要性を気づかせ、荻野屋における役割を明確にさせてくれた。

だが突然、別れがやってきた。２０１０年（平成22年）10月28日。彼は急性白血病で亡くなった。彼と再会してからの7年間、経営者としていちばん大きな影響を受けてきたのは、疑いのない事実だ。現在ある私の事業に対する考えの基礎をつくってくれたといっても過言ではない。彼がいなければ、ここまでさまざまな取り組みを行いながら、荻野屋を変えていこうとはしなかっただろう。

彼の死からしばらく心に空白ができたような感覚を持ちながら仕事をしていたが、その翌年、東日本大震災が発生。荻野屋は事業の立て直しのために金融機関の支援の下、経営改善計画を行うことになる。

この立て続けに起きた出来事は、私自身が入社以来、経験した中でもいちばん大きなものであった。改めて会社のトップとしての責任の重さについて痛感するとともに、荻野屋の従業員はじめ、その家族、取引先に至るまでの利害関係者のことを思うと、１００年以上続く会社を自分の代で終わらせてはならないという思いが強くなった。

私自身、精神的にも大きなダメージを受けていたが、しかし、志半ばでこの世を去った彼のことを思うと、この程度のことでショックを受けてへこたれていては、彼への示しがつかない。この経験を糧にしながら自分が彼の分まで生きて仕事をすることが、彼への恩返しにもなると感じていた。

そのような思いを胸に、全社一丸となって取り組んだ経営改善計画は、当初の計画より1年前倒しで2018年（平成30年）に終了した。

2016年（平成28年）4月から2018年3月まで、再び母校の門を叩き、慶應義塾大学大学院SDM研究科で学ぶことができたのは、非常に幸運なことだった。いま思っても、これ以上ベストなタイミングはなかったと感じている。この2年間でなければ、入学は叶わなかっただろう。ここでの学びが、私自身の経営者としての考え方を整理し、荻野屋の130年間やってきたことの正しさ、そしてその後の事業計画の策定に向けて、さらなる自信を持てることになったのは事実である。

大学院修了後、次なる展開へ向けて多くのことを思案しながら、新たな事業計画を策定していた矢先に、突如として中国の武漢を感染源とされる新型コロナウイルスによる全世界を震撼させたパンデミックが発生することになる。その影響は想像以上で、2020年

（令和2年）以降の荻野屋の将来計画を再度考えさせられることとなった。

新型コロナウイルスの影響で、荻野屋を取り巻く外部環境も激変。本業にも多大なる影響を与えることとなっているが、不思議といまある荻野屋を取り巻く状況が、何かに導かれているように感じてならなかった。

荻野屋の歴史を改めて思い返すと、すべては必然ともいえる偶然の出来事が、まるで誰かに意図されたかのような形で導かれているのではと感じてしまうときがあった。過去の荻野屋の歴史もそうだが、私の代になってからもそれは変わらない思いがあった。

私の代になってからの大きな出来事としては、友人との再会と死、東日本大震災の発生、経営改善計画の経験、ＳＤＭへの入学、ＧＩＮＺＡ ＳＩＸへの出店、さらに発展させるべく、一昨年、八幡山に拠点を設立した。

常に危機と隣り合わせにありながら、諦めない気持ちで取り組んだ結果、多くの人との出会いにより、光明を見出すことができたのは事実だ。

「停滞は衰退である」。大学在学中から常に感じていることではあったが、挑戦していくことが、必ず次の展開のきっかけや糧になることが多かった。また「備えあれば憂いなし」とはいうものの、特段備えていたわけでもないが、それでも自然とそのような方向へ進み、

「備え」につながることができたのは、周囲の助けも多くあり、感謝以外の何物でもない。

荻野屋は決して他力本願だけではなく、全社が一丸となり、やり遂げたからこそ、過去に絶体絶命の危機を何度も潜り抜けてくることができたと感じている。誰かに筋書きされたストーリーがあると思うことはあまり現実的ではないが、荻野屋の一連の歴史のストーリーは、諦めない気持ちを持ち、状況に対して冷静に取り組み、挑戦することができた結果であり、経営において最も重要な要素ではないかと思っている。

17年前に父が他界していなかったら、私は荻野屋に入社して事業を引き継ぐこともなかっただろう。また、高崎駅での旧友との再会もなく、別の仕事をしていたに違いない。その後の社内での改革へ向けての積極的な取り組みもなく、旧態依然の会社組織として存続していただろう。東日本大震災が起きて代表へ就任し、経営改善計画に取り組んでいなかったら、現在のコロナ禍の状況で金融機関からの支援を受けられていたかも明確ではない。

自惚れかもしれないが、あのとき、私が荻野屋に入社していなかったら、荻野屋の歴史は途中で終わっていたかもしれないとも思う。

荻野屋は、2020年(令和2年)10月15日で、弁当業を創業し135周年を迎えた。

明治、大正、昭和、平成と、四つの時代を何とか生き抜いてきた。しかし、新型コロナウイルスにおける影響で、荻野屋を取り巻く環境は依然として大変厳しい状況にある。現状の観光業に関していえば、いつ元に戻るのかもわからない。外部環境の好転を期待し、そのときを待っていてはチャンスを失う。それは、荻野屋の過去の歴史からも明らかである。

逆にいえば、ピンチはチャンスでもある。過去の歴史を見てもピンチを糧にして、荻野屋は変化し、生き残ってくることができた。今回のような危機こそ、チャレンジをして前に進むことが、新しいチャンスをつかむことにつながり、新生荻野屋へチェンジしていけることだと信じている。

「チャレンジ、チャンス、チェンジ」は、荻野屋の行動の合言葉だ。この言葉を胸に、今後も事業を邁進していきたい。

2020年11月

荻野屋六代目社長　髙見澤 志和

［著者］
高見澤志和（たかみざわ・ゆきかず）
1976年、群馬県出身。2000年慶應義塾大学法学部法律学科卒業。2018年同大学院システムデザイン・マネジメント研究科修了。2003年に荻野屋へ入社し、専務取締役を経て、2012年に6代目となる代表取締役社長に就任。財務・人事など社内改革を推進するとともに、新商品の開発や、首都圏をターゲットにした新規事業を展開するなど、これまでの伝統を踏襲しながらも常に新しい価値の提供を目指し、積極的に挑戦を行っている。

諦めない経営
――峠の釜めし 荻野屋の135年

2021年1月19日　第1刷発行

著　者――高見澤志和
構　成――安井孝之
編集協力―上坂伸一
発行所――ダイヤモンド社
〒150-8409　東京都渋谷区神宮前6-12-17
https://www.diamond.co.jp/
電話／03･5778･7235（編集）　03･5778･7240（販売）
装丁――――遠藤陽一（DESIGN WORKSHOP JIN）
製作進行――ダイヤモンド・グラフィック社
印刷――――新藤慶昌堂
製本――――川島製本所
編集担当――久我　茂

ISBN 978-4-478-11045-4